Diffodd y Sêr

Golygyddion Cyfres yr Onnen:
Alun Jones a Meinir Wyn Edwards

Diffodd y Sêr

HAF LLEWELYN

y Lolfa

I Gerald Williams,
gyda diolch am gadw'r aelwyd yn gynnes.

Diolch i Siôn a Seren, Llŷr, Iola a Gwydion,
am ddod ar daith efo fi i Ieper.

Diolch i fy Mam am ei hysbrydoliaeth
ac i Leusa am yr awgrymiadau.

Diolch hefyd i Nedw a Grisial.

Dymunaf ddiolch o galon i griw Y Lolfa am y cyfle, ac yn arbennig
i Meinir Wyn Edwards ac Alun Jones am eu hanogaeth gyson.

Argraffiad cyntaf: 2013
Ail argraffiad: 2017

Comisiynwyd y gyfrol hon gyda chymorth ariannol
AdAS Llywodraeth Cymru

Noddwyd yr adargraffiad hwn yn rhannol gan Lywodraeth Cymru
a Chynllun Adnoddau Addysgu a Dysgu CBAC

Darlun y clawr: Iola Edwards

Rhif Llyfr Rhyngwladol: 978 1 84771 697 2

Cyhoeddwyd ac argraffwyd yng Nghymru
gan Y Lolfa Cyf., Talybont, Ceredigion SY24 5HE
gwefan www.ylolfa.com
e-bost ylolfa@ylolfa.com
ffôn 01970 832 304
ffacs 832 782

"Nid oes gennym hawl ar y sêr,
  Na'r lleuad hiraethus chwaith…"

'Y Blotyn Du' Hedd Wyn

1

"Nid stori ydi hi. Dwi'n deud y gwir."

"Wyt ti'n siŵr?" gofynnais.

"Wrth gwrs 'mod i'n siŵr. Mae Mam wedi cael telegram bore 'ma." Edrychodd Lora arna i'n gam, fel tasa hi wedi'i brifo.

"Hy, naddo, mi fasa dy fam wedi deud wrth Mam tasa fo'n wir," gwaeddodd Wil Ffurat. "Mae hi'n deud bob dim wrth Mam, felly dydi o ddim yn wir, Lora. Dydi o ddim ar ei ffordd adra a dyna fo!"

Edrychodd Lora arna i fel tasa hi'n disgwyl i mi ddweud rhywbeth i'w hamddiffyn hi, ond fedrwn i ddim meddwl be i'w ddweud, ac mae arna i ofn Wil Ffurat, beth bynnag. Doeddwn i ddim eisiau i hwnnw droi arna i hefyd. Felly, mi gaeais fy ngheg yn dynn. Dechreuais chwarae â phwt o dywarchen wrth fy nhroed achos doeddwn i ddim eisiau edrych ar Lora.

"Dydi o ddim yn wir, siŵr iawn. Ddaw o ddim adra tan fydd y rhyfel ar ben," meddai Wil yn bwysig. "Ein hogia ni fydd yno i guro'r Almaenwyr, reit tan y diwadd; dyna beth mae Lloyd George yn 'i ddeud. A phan fydda i'n cael, dwi am fynd atyn nhw i helpu yn syth! Ttt…ttt!"

Neidiodd Wil o ben y clawdd a chodi ei wn dychmygol i saethu rhesi o filwyr yr Almaen oedd yn nesáu o du ôl i glwyd yr ysgol yn rhywle. Un fel yna ydi Wil Ffurat – gormod o ddychymyg.

Rhuthrodd Lora heibio i mi, ei hwyneb yn goch. Pan fydd hi mewn tymer mae ei hwyneb hi'n gallu newid i'r siâp rhyfeddaf. Mae hi'n gallu ystumio'i thrwyn nes ei fod o bron yn fflat, wedyn gwasgu ei llygaid fel nad ydyn nhw'n ddim ond dwy linell fain ddu, ac mi fydd hi wedi sugno'i gwefusau i mewn nes bydd ei cheg hi'n union fel pen-ôl iâr.

"Ha, sbïwch, hogia! Lora tin iâr," bloeddiodd Wil, gan adael i'r gwn dychmygol ddisgyn wrth ei draed.

"Lora dena'n dodwy wya'. Lora dena'n dodwy wya'." A dyna lle bu'r hogia wedyn yn herio ac yn chwerthin o ben y clawdd, ac yn taflu moch coed.

Fedrwn i ddim gadael iddi fynd fel yna. Mi ddyliwn fod wedi dweud rhywbeth wrth y snichyn Wil yna. Roedd rhyw hen gnoi yn fy mol i; mi ddyliwn fod wedi bod yn gefn i Lora. Be fasa Ellis wedi'i ddweud tasa fo'n gwybod i mi adael i Lora gael ei bychanu fel yna, a gwneud dim byd i'w helpu hi? Dechreuais redeg ar ei hôl i lawr y llwybr a'r moch coed yn neidio o'm cwmpas fel bwledi.

"Lora, aros. Aros amdana i." Ond doedd dim gobaith ei dal hi unwaith roedd hi wedi cymryd yn ei phen fod rhywun yn ei hamau. Dyna fo, fyddai hi ddim am roi cyfle i mi esbonio.

"Lora!" galwais. Roeddwn inna'n flin erbyn hyn achos wnes i ddim ei hamau o ddifri, dim ond digwydd gofyn a oedd hi'n siŵr wnes i. Ond blin efo fi fy hun oeddwn i. Rydw i'n gwybod fod Lora'n un wyllt ac yn anodd ei phlesio weithiau, ond hi ydi fy ffrind gorau 'run fath. Ac wrth gwrs, dydi ffrindiau gorau ddim yn amau gair ei gilydd, yn nac ydyn?

Erbyn hyn roeddwn i wedi arafu, ac wedi colli 'ngwynt yn lân. Fedrwn i ddim rhedeg cam ymhellach, a doeddwn i ddim am gyrraedd adra wedi colli 'ngwynt neu mi fyddai Mam yn siŵr o ddweud y drefn. Newydd fendio o'r peswch ydw i – felly dydw i ddim i fod i 'hambygio', fel bydd Mam yn ei ddweud.

Felly, cerdded linc-di-lonc roeddwn i am adra, gan feddwl yn siŵr fy mod i wedi colli Lora fel ffrind gorau am byth. Fi a fy hen geg fawr! Os oedd Lora'n dweud fod yna delegram wedi cyrraedd bore 'ma, mae'n siŵr ei bod hi'n dweud y gwir.

Roeddwn i'n teimlo'n sobor o drist erbyn i mi gyrraedd y gamfa. Ond wrth i mi gyrraedd pen y clawdd, pwy welwn i'n eistedd ar y stepan isaf yr ochr arall ond Lora.

"Wyt ti'n iawn, Lora?" gofynnais yn dawel. Arhosais, ac eistedd ar ben y clawdd. Wnaeth hi ddim troi i edrych arna i, ond roeddwn i'n gwybod ei bod hi'n crio achos roedd hi'n igian wrth anadlu.

Rhoddais fy llaw yn fy mhoced. Roedd gen i garreg wen yno. Roedd y garreg wedi dal fy llygad bore 'ma wrth i mi gerdded i'r ysgol, ac roeddwn i wedi'i chodi a'i rhoi yn fy mhoced. Rydw i'n gwneud hynny'n aml efo cerrig; os gwelaf i garreg arbennig rhaid i mi ei chodi, achos os na wna i, mi fydda i'n poeni wedyn fod yna rywbeth ofnadwy am ddigwydd, am na wnes i ei chodi hi. Dwi'n gwybod fod hynny'n wirion, ac mae Mam yn dweud y drefn pan mae hi'n dod o hyd i lond fy mhocedi o gerrig, ond fedra i ddim peidio.

Tynnais y garreg wen o'm poced, ac edrych arni. Roedd hi'n un glws. Rhwbiais hi ac yna poeri arni a'i rhwbio eto. Roedd hi'n disgleirio, a rhyw liwiau rhyfedd yn gwau trwyddi, yn goch a phorffor.

"Edrych, Lora. Edrych be ddois i o hyd iddi bore 'ma." Estynnais y garreg i lawr iddi, a throdd hithau i edrych arna i. Estynnodd hithau ei llaw am y garreg. Roedd ei llygaid yn goch, a'i thrwyn hi hefyd, am ei bod hi wedi bod yn ei rwbio mae'n debyg.

"Ddylet ti ddim rhwbio dy drwyn mor galed, Lora. Mae o'n goch rŵan yli," meddaf inna, a difaru'n syth. Pam na fedra i gau fy ngheg? Ond chwarae teg, chwerthin wnaeth hi, ac mi ddringais i lawr o ben y clawdd yn sydyn, a gafael am ei braich.

"Mae'n ddrwg gen i, Lora, am… wel, am beidio rhoi swadan iawn i'r hen snichyn Wil Ffurat yna."

"Mae hi'n un glws, Ann," meddai Lora gan droi'r garreg wen

rhwng ei bysedd, a'i chodi tua'r haul i'r disgleirdeb gael tywynnu arni'n iawn.

"Lle cest ti hi?" gofynnodd.

"Wrth y Felin. Wyt ti'n 'i licio hi?"

"Yndw, mae hi'n ola' i gyd, yn tydi?" Wedyn, mi roddodd Lora'r garreg ar ei bys fel tasa hi'n fodrwy.

"Oes gan Lloyd George fab d'wa'?" gofynnodd.

"Dwn i ddim, sti. Ella fod ganddo fo, ac ella ei fod o yn Ffrainc fatha dy dad," meddaf inna.

"Na, fasa mab David Lloyd George, y Prif Weinidog *ei hun*, ddim yn gorfod mynd i Ffrainc, siŵr. Ond tasa ganddo fo fab, mi faswn i'n ei briodi fo, yli, ac mi faswn i'n cael modrwy a charreg fawr fel hon arni…"

Doeddwn i ddim yn gweld sut y gallai Lora briodi mab i ddyn pwysig fel Lloyd George, ond doeddwn i ddim am ddweud gair. Mae Ellis yn dweud fod gan bawb hawl i'w freuddwydion. Felly mi wnes i orfodi fy ngheg i aros ar gau, yn dynn.

"Pryd ddoist ti o hyd i'r garreg yma, Ann?" gofynnodd Lora'n sydyn, gan droi i edrych arna i â'i llygaid yn fawr a disglair.

"Bore 'ma. Pam?" atebais.

"Bore 'ma? Yr un amser ag y cafodd Mam y telegram felly," meddai Lora, ac estyn y garreg yn ôl i mi.

"Mae honna'n garreg lwcus felly, Anni. Cadwa hi'n saff," meddai wedyn, ac mi rois i'r garreg yn fy mhoced, a'i gwthio fel ei bod wedi'i chuddio yn y leinin, yn lle bod Mam yn dod o hyd iddi.

"Ia, rhyfedd yndê," meddaf inna. Cerddodd y ddwy ohonon ni'n ara bach am adra, yna mi ges i syniad.

"Lora, pan fyddi di'n priodi mab Lloyd George yndê…"

"Ia?"

"… ga i fod yn forwyn a chael bloda yn fy ngwallt?" gofynnais.

Chwarddodd Lora, a gafael yn dynn yn fy mraich fel tasa hi'n cerdded i lawr y llwybr yn y capel. A dyna ni wedyn, yn cynllunio pob manylyn o ddiwrnod priodas Lora Margaret a mab hynaf David Lloyd George.

2

Dim ond wedi i mi adael Lora a brysio yn fy mlaen am adra y gwnes i gofio am y telegram. Wyddwn i ddim yn iawn beth oedd y neges a gafodd mam Lora y bore hwnnw, chafodd hi ddim cyfle i ddweud wrth gwrs, a bai y snichyn yna, Wil Ffurat, oedd hynny.

Rhuthrais at y drws ac aros am funud. Roedd Mam yn eistedd wrth y bwrdd yn y gegin a Gwen Jones efo hi yn cael paned, a llestri dydd Sul ar y bwrdd.

"Wel dyna fo, o leiaf mae *o* yn cael dod yn ei ôl adra," sniffiodd Gwen Jones. Gafaelai'n ofalus yng nghlust y gwpan fach gain, fel tasa hi'n ofni iddi falu'n deilchion o dan ei bysedd. "O leiaf mae *o*'n un o'r rhai lwcus..." meddai'n bendant, a thrawodd y gwpan fach ar y soser nes y neidiodd y llwy arian.

Edrychodd Mam i'r tân wedyn.

"Lwcus? Ydach chi'n meddwl, Gwen?" meddai'n dawel. Gwelodd fi'n sefyll yn y drws, a safodd yn sydyn, gan roi nòd i 'nghyfeiriad i a gwneud llygaid bach ar Gwen Jones. Roeddwn i'n gwybod yn iawn beth roedd hynny'n ei olygu – arwydd i Gwen Jones dewi, a pheidio â sôn ychwaneg am beth bynnag roedden nhw'n ei drafod. Rhyfedd ydi pobl, yn meddwl nad ydw i'n ddigon hen i wrando ar sgwrs pobl mewn oed, a finna bron yn bedair ar ddeg.

"Ann! Dyma ti o'r diwedd! Ble buest ti mor hir? Stelcian efo'r hogia yna wrth y Felin, yn lle dod yn dy flaen adra, a thitha wedi bod yn sâl, ia?" Roedd Mam yn siarad yn rhy gyflym, fel y bydd pobl pan mae ganddyn nhw rywbeth i'w guddio.

"Cerdded efo Lora wnes i," atebais. Dwi'n gwybod na ddyliwn i ateb Mam yn ôl, yn arbennig â Gwen Jones yn eistedd yno fel brenhines. Ond doeddwn i ddim yn stelcian efo'r hogia, achos hen hogia gwirion ydyn nhw, a faswn i byth yn stelcian efo Wil Ffurat, beth bynnag. Roeddwn i'n flin efo Mam am awgrymu'r ffasiwn beth, ac o flaen Gwen Jones o bawb.

"Efo Lora?" Trodd y wraig ata i ac aros, fel tasa hi'n disgwyl i mi ddweud rhagor.

"A sut hwyliau oedd ar Lora Margaret heddiw?" gofynnodd wedyn. Mae'n gas gen i weld Gwen Jones wrth fwrdd y gegin. Mae hi'n un o'r bobl hynny rydach chi'n gorfod bod yn ofalus beth i'w ddweud yn ei chwmni. Mae hi'n eistedd yno wrth y bwrdd yn ei dillad duon, y les du'n cau am ei gwddw main, a'r ffwr llwynog am ei hysgwyddau.

Dwi'n eithaf hoff o siôl ffwr, mae gan Mam un goch, er nad ydi hi byth yn ei gwisgo, dim ond ei chadw wedi'i lapio mewn papur sidan yn y cwpwrdd yn y llofft. Weithiau mi fydda inna ac Enid, fy chwaer, yn sleifio yno i chwarae 'pobl grand' efo hi. Ond mae honno yn feddal braf. Wedi'i chael hi i fynd i briodas Dewyrth Robat wnaeth Mam, ond rŵan mae Maggie wedi cael ei benthyg i fynd i Lerpwl. Mae hi wedi mynd yno ar y trên i weld Cati a Meri, ein chwiorydd hynaf. Mi faswn i wedi hoffi mynd efo Maggie i Lerpwl.

"Na, mae Maggie yn cael mynd am chydig. Mae hi'n gweithio'n ddigon caled adra, yn gweld neb o un pen y dydd i'r llall. Mi gei ditha fynd pan fyddi di'n hŷn, Anni," meddai Mam.

Ta waeth, un hyll ydi'r hen beth yna sydd gan Gwen Jones am ei hysgwyddau. Mae pen y llwynog yn dal yn sownd ynddo, a phan fydd Gwen Jones yn mynd i hwyl ac yn dweud y drefn am hyn a'r llall, mi fydd trwyn y llwynog yn ysgwyd, ac mae o'n edrych fel tasa fo'n eich gwylio chi efo'i lygaid llonydd, duon.

Doeddwn i ddim am ateb, ond edrychodd Mam arna i'n flin.

"Anni?" meddai. "Mae Mrs Jones wedi gofyn cwestiwn i ti."

"A sut oedd Lora Margaret heddiw?" holodd y wraig wedyn.

"Ym..." Roedd yn rhaid i mi fod yn ofalus. Taswn i wedi dweud rhywbeth fel 'go lew', mi fasa hon wedi mynd yn syth at Dodo Citi, mam Lora, a dweud 'mod i wedi dweud nad oedd yna hwyliau da iawn ar Lora. Lleidr geiriau ydi Gwen Jones, mae hi'n dwyn eich geiriau cyn i chi fod wedi'u gollwng o'ch ceg.

"Ym, oedd, roedd Lora yn iawn, diolch." Geiriau diogel, fedrai hi wneud dim byd o'r rheina. Teimlais yn falch ohonof fy hun. Brysiodd Mam drwodd i'r cefn i nôl y llefrith, felly chlywodd hi mo'r frawddeg nesaf,

"O, wel mi ddylia hi fod yn well na 'iawn', a'i thad ar ei ffordd adra, yn dylia, Ann?"

Rhythodd llygaid bach duon y llwynog arna i, yn disgwyl i mi gytuno. Teimlais fy mochau'n gwrido. Dyna beth oedd neges y telegram felly, a doeddwn i ddim yn gwybod. Mi ddyliwn i fod yn gwybod, achos fi ydi ffrind gorau Lora Margaret. Wnes i ddim codi 'mhen, dim ond dal i gnoi'r frechdan roedd Mam wedi'i rhoi o fy mlaen.

"Mi ddylia hi fod ar ben ei digon a'i thad hi'n cael dod adra fel'na – adra o Ffrainc yn un darn a Ben ni'n dal yno. O ydi, mae hi'n iawn ar *rai* pobl..."

Roedd Mam wedi dod yn ei hôl o'r gegin erbyn hyn. Cymerais gip ar ei hwyneb, ac roedden ni'n dwy'n gwybod beth oedd am ddod nesaf. Roedd golwg ryfedd ar wyneb Mam, ac roeddwn i eisiau mynd ati i gydio ynddi, ond wnes i ddim symud. Cododd Gwen Jones ei phen ac edrychodd llygaid bach duon y llwynog ar Mam.

"Ac wrth gwrs mae yna ddynion ifanc, iach nad ydyn nhw'n gorfod mynd i Ffrainc o gwbwl... yn cael jolihoetian o gwmpas y lle yma'n cyboli barddoni a cherdded eisteddfodau tra bod pobol fel Ben *ni* yn cwffio drostyn nhw."

Gallwn glywed y bechgyn yn cyrraedd y buarth. Roedd fy nhad ac Ellis, Bob ac Ifan fy nhri brawd, i gyd wedi bod wrthi ers ben bore yn agor ffosydd. Mi fyddan nhw ar lwgu bellach. Gallwn eu clywed yn y cefn yn tynnu eu dillad gwlyb. Roedd eu lleisiau'n ysgafn, yn chwerthin ac yn tynnu ar ei gilydd, fel y byddan nhw bob amser os ydi Ellis o gwmpas.

Peth rhyfedd ydi drws, yntê? Dim ond darn o bren, ond o bobtu iddo mae'r awyrgylch yn hollol wahanol. Yr ochr yma i'r drws, wrth y tân, mae Mam a Gwen Jones a finna'n eistedd yn oer a di-wên. Ac ochr arall i'r drws, mi fedra i ddweud fod pawb mewn hwyliau cynnes, y ffos wedi'i chlirio a'r hogia'n tynnu ar ei gilydd ac yn cael hwyl.

Dydw i ddim eisiau i'r drws agor. Dydw i ddim eisiau i'r hogiau ddod i mewn i hyn.

Ddywedodd yr un ohonom ddim gair am funud, ond yna symudodd Mam i'r cefn a dod yn ôl efo potyn o jam mwyar duon. Lapiodd y jar mewn papur a'i estyn i Gwen Jones.

"Diolch i chi am alw, Gwen Jones," meddai hi, er nad oedd diolch yn ei llais. Dydi Mam ddim fel arfer yn dweud pethau nad ydi hi'n ei feddwl, ond dwi'n gwybod nad oedd hi'n diolch o ddifri i Gwen Jones am alw heibio. Cododd Gwen Jones yn sydyn, rhoi'r jam yn ei basged a throi am y drws.

"Gobeithio'n wir y cewch chitha newyddion da am Ben yn fuan iawn," meddai Mam. Siarad â chefn Gwen Jones wnaeth hi, oherwydd wnaeth y wraig ddim troi i'w hwynebu, dim ond cydio yng ngodrau ei sgert ddu a martsio trwy'r drws, a'r llwynog ffwr yn gafael yn dynn am ei hysgwyddau. Es inna i'r ffenest i'w gweld hi'n cerdded â'i phen yn uchel ar hyd y llwybr cerrig i lawr tua'r ffordd.

Edliw roedd hi wrth gwrs. Edliw fod Ellis yn dal adra efo ni ac yn gweithio yma yn yr Ysgwrn. Doedd o heb listio i'r fyddin fel roedd cymaint o'i ffrindiau wedi'i wneud, ac mi fydd Bob, fy mrawd, yn dod i oed listio yn fuan iawn. Fydd yna fawr o ddathlu yma pan ddaw'r diwrnod hwnnw.

Mae Lora'n dweud y bydd yn rhaid i Ellis neu Bob fynd i ffwrdd achos does dim digon o waith i'r ddau ohonyn nhw, ac i 'Nhad, yma yn yr Ysgwrn. Wrth gwrs, mae Ifan yma hefyd er mai dim ond un ar bymtheg ydi o. Maen nhw angen rhagor o filwyr yn Ffrainc, meddan nhw. Dwn i ddim pam eu bod nhw angen cymaint o filwyr yn Ffrainc chwaith, achos mae'r papurau newydd i gyd yn dweud pa mor dda mae pethau'n mynd yno a bod Prydain Fawr yn ennill tir o hyd. Roedd yna sôn y diwrnod o'r blaen eu bod nhw wedi dal miloedd o filwyr yr Almaen, a bod ein hogia ni'n eu chwalu nhw'n rhacs jibidêrs. Dwi ddim yn siŵr beth i'w gredu erbyn hyn.

Ond mae Lora'n dal i ddweud y bydd yn rhaid i Bob neu Ellis fynd. Mae'n gas gen i feddwl am hynny. Ond dydi pobl y fyddin ddim yn gwybod am Nhad a'i gryd cymala, yn nac ydyn? Ambell ddiwrnod fedr o ddim symud, mae'r boen mor ddrwg. Fedr o ddim aredig na hau na dim pan fydd o felly. Fedra i ddim meddwl am Ellis yn filwr rywsut. Fyddai o'n dda i ddim efo gwn na beonét; mae o'n ormod o freuddwydiwr, yn sgwennu rhyw rigymau bach gwirion i mi neu i Enid drwy'r amser. Eisteddais am funud i syllu i'r tân. Pam na ddaw'r rhyfel yma i ben? Dwi wedi syrffedu sôn am y peth o hyd, ac mae yna ryw dristwch dros yr ardal i gyd.

Aeth Mam ati i glirio'r bwrdd, a gallwn synhwyro ei bod wedi'i brifo i'r byw gan eiriau Gwen Jones. Wyddwn i ddim beth i'w ddweud. Yn wir, roeddwn i eisiau rhedeg allan a bloeddio ar ôl yr hen wrach yna. Pa hawl oedd ganddi hi i siarad fel'na efo Mam? Ond wnes i ddim rhedeg ar ei hôl hi, dim ond symud draw at Mam a chyffwrdd yn ysgafn â'i llaw. Mi faswn i'n licio tasa Maggie yma, mi fyddai hi'n gwybod sut i gysuro Mam. Trodd Mam i edrych arna i a cheisio gwenu, ond roedd ei llygaid yn byllau o ddagrau.

"Paid â chymryd sylw ohoni hi, Ann," meddai hi, ond fi ddylai fod yn ei chysuro hi.

"Fydd yn rhaid i Ellis fynd i'r fyddin, Mam?" gofynnais. Roedd fy mol yn troi wrth feddwl am y peth. Edrychodd Mam draw at y ddresel lle roedd y ffurflen dribiwnlys yn aros i gael ei llenwi unwaith eto.

"Paid â meddwl am y peth, Anni fach. Mi arhoswn ni i weld beth fyddan nhw'n ei ddeud yn y tribiwnlys nesa yn Penrhyn, a dim gair wrth Ellis, cofia, pan ddaw o i mewn rŵan."

Aeth y ddwy ohonom i baratoi te i'r dynion wedyn – Mam i dorri bara, ac mi es inna i wisgo fy nghlocsiau i mi gael nôl dŵr.

"Cymer di ofal wrth lenwi'r bwcedi yna, Anni. Paid ti â thywallt y dŵr hyd y lle ym mhob man," galwodd Tada ar fy ôl, wrth i mi ei basio fo ac Ellis yn y drws. Cododd Ellis ei fys fel petai o'n dynwared Tada'n dweud y drefn, ond rhoddodd winc arna i. Gallwn glywed Bob ac Ifan yn y stabl efo'r ceffylau.

Llenwais y bwcedi bob yn un, ac edrych draw am y Rhinogydd. Roedd hi'n nosi'n braf, a'r awyr trwy Ddrws Ardudwy yn rhubanau o gymylau ysgafn, cynnes, clws. Trwy Ddrws Ardudwy mae'r môr, ac mae Ellis wedi gaddo yr aiff o â fi ac Enid i lan y môr y Bermo yr ha' nesaf ar y trên. Mae Maggie yn dweud y daw hi efo ni, os bydd Mam yn fodlon. Mi fuodd Maggie yn y Bermo ar drip efo'r capel pan oedd hi'r un oed â fi. Mae'r Bermo'n lle rhyfeddol, efo siopau crand ar hyd y stryd, a mulod ar y traeth a phobl ddiarth o Loegr yn dod yno i roi eu traed yn y dŵr.

Wedi i mi godi'r bwcedi, doeddwn i ddim yn edrych lle roeddwn i'n mynd ac aeth fy nhraed inna i'r dŵr, ond dŵr oer,

oer oedd hwn, nid dŵr cynnes glan y môr. Brysiais yn ôl i'r tŷ, gosod y bwcedi o dan y stelin lechen, tynnu'r clocsiau a'u cario at y tân iddyn nhw gael sychu.

Fel arfer byddai Mam wedi sylwi, ac wedi holi'n syth pam fod y clocsiau'n wlyb. Ond wnaeth hi ddim edrych arnyn nhw hyd yn oed, dim ond syllu i'r tân. Roedd ei hwyneb yn wyn ac roedd yn rhaid iddi bwyso ar ymyl y bwrdd, fel petai arni ofn disgyn. Roedd pawb yn dawel.

Eisteddai Ellis a Tada wrth y bwrdd, ond doedd yr un ohonyn nhw'n bwyta. Roedd y llestri gorau y bu Gwen Jones yn bwyta oddi arnyn nhw wedi'u golchi a'u cadw, ond roedd y bara menyn yn dal yno ar y bwrdd a lliain drostyn nhw. Doedd neb wedi codi'r lliain hyd yn oed. Edrychais ar wynebau'r tri. Yr wynebau cyfarwydd yn edrych yn wahanol rywsut. O'r diwedd, torrodd Tada ar y tawelwch.

"Pryd?" gofynnodd.

"Fory," meddai Ellis. Ochneidiodd Mam ac eistedd ar y stôl fach wrth y tân gan droi ei ffedog yn gwlwm yn ei bysedd.

"Pam na wnei di aros tan wythnos nesa i ti feddwl yn iawn am y peth?" Roedd llais Mam yn wan.

"Mam, tydw i wedi gwneud dim ond meddwl am y peth ers wythnosau," meddai Ellis.

"Ond does dim *rhaid*," ymbiliodd Mam, a gallwn ddweud ei bod hi eisiau codi a gafael yn ysgwyddau Ellis a'i ysgwyd.

"Oes, mae'n rhaid," meddai Ellis wedyn, er na fedrai o godi'i ben i edrych ar Mam chwaith.

"Na!" A dyna'r tro cyntaf i mi weld Mam yn crio o ddifri. Dyna'r adeg y gwnes i beidio â bod yn ferch fach, dwi'n meddwl. Tydi mamau plant bach ddim yn crio, yn nac ydyn? Ond unwaith rydach chi'n peidio â bod yn blentyn, rydach chi'n deall fod mamau'n gallu crio. Crio tawel, crio nes bod pawb yn brifo.

"Meri, rhaid i ni adael i Ellis wneud ei benderfyniad," meddai

Tada, ond wnaeth o ddim codi'i ben chwaith. Dyna pryd y penderfynais fod yn rhaid i mi wneud rhywbeth, gan nad plentyn oeddwn i bellach. Gafaelais yn Mam a mwytho'i gwallt, fel y byddai hi wedi'i wneud efo ni pan oedden ni'n sâl.

"Ellis?" gofynnais.

"Dwi'n mynd i Stiniog fory i roi'n enw i lawr," medda fo, a dyna pryd y dechreuais inna grio hefyd.

3

"Rhyfadd, yntê?" meddai Lora. "Tada yn dod adra, ac Ellis chi'n mynd."

"Ie." Roedd fy meddwl i'n bell, yn meddwl am Ellis yn ei iwnifform.

"Mi faswn inna'n licio mynd i'r ysbyty i weld Tada," meddai Lora wedyn, "ond mae Mam yn deud fod yn rhaid i rywun aros adra i warchod Jim a ph'run bynnag, fedar Mam ddim fforddio dau diced trên i Gonwy."

Brawd bach Lora oedd Jim, yr ieuengaf o frodyr Lora. Dim ond pump oed oedd o, ac roedden ni'n ei ddifetha'n ulw. Roedd hi'n anodd peidio, achos roedd o'n hogyn bach mor annwyl – ei wallt melyn yn fop o gyrls tyn, a'i lygaid yr un lliw â'r awyr ar ddiwrnod braf. Doeddwn i erioed wedi holi Lora yn ei gylch, ond doedd Jim ddim yn siarad fel plant eraill pump oed. Dim ond gwenu, a'i geg ar agor. Doedd o chwaith ddim yn gallu gwisgo na molchi ei hun. Rydw i'n cofio holi Mam rhyw ddiwrnod beth oedd plant pump oed i fod i fedru ei wneud. Edrychodd Mam arna i'n syn.

"Pam, Anni?" gofynnodd. "Be wnaeth i ti feddwl am hynny?"

"Meddwl am Jim oeddwn i."

"O," meddai Mam, gan droi i fy wynebu. "Jim druan, fydd o byth 'run fath yn union â hogia eraill, mae'n debyg – rhywbeth ddigwyddodd pan gafodd o'i eni. Ond mi fydd o'n iawn – mae o'n blentyn bach arbennig, yli."

Ac felly, hawliodd Jim le bach arbennig yn fy nghalon i. Chaiff Jim ddim cam gan neb os bydda i neu Lora o'i gwmpas o. Felly, wrth gwrs, fedrai Lora ddim mynd ar y trên i Gonwy efo

Dodo Citi, i weld ei thad, Dewyrth Ifor. Roedd yn rhaid iddi hi aros adra i warchod Jim.

"Be sy'n bod ar dy dad, Lora?" mentrais holi. Doeddwn i ddim yn siŵr a ddylwn i ofyn, a doeddwn i ddim yn siŵr chwaith a oeddwn i eisiau gwybod. Ond mae Lora yn ffrind gorau i mi.

Mi wyddwn i am y milwyr y câi eu hanfon adra o'r ffosydd oherwydd eu bod wedi'u hanafu mor ddrwg fel na fydden nhw'n gallu ymladd eto. Mi wyddwn i hefyd am ddynion yn dod yn ôl yn fethedig, heb goesau, ac yn medru gwneud dim heblaw eistedd yn edrych ar y tân trwy'r dydd. Ac mi glywais Mam a Tada'n sibrwd y diwrnod o'r blaen am ryw ddyn o'r Blaenau, wyddwn i ddim pwy oedd o, ond o be fedrwn i ei glywed roedd Tada'n dweud fod misoedd yn y ffosydd wedi chwalu ei ben o. Doeddwn i ddim yn siŵr beth oedd hynny'n ei feddwl, felly mi holais i Lora.

"Lora, os ydi pen rhywun wedi chwalu, yndê… be'n union sy'n bod arno fo? Wsti, fel y dyn yna o'r Blaena?"

"Wedi mynd yn dwlali mae o," meddai Lora yn blwmp ac yn blaen fel yna.

"Be ti'n feddwl, dwlali?" holais wedyn.

"Dydi o ddim yn gall, wedi drysu, sti," meddai hi a dal ati i blethu 'ngwallt i.

"Pam? Be mae'r dyn yn neud?"

"Mae o'n codi yng nghanol nos ac yn mynd allan i'r stryd i weiddi. Mae Modryb Jane yn byw drws nesa ond un, ac maen nhw'n cael eu deffro ganddo fo'n gweiddi, 'Over the top lads… over the top…' o hyd. Wedyn, pan mae ei wraig o'n medru ei gael o yn ei ôl i'r tŷ, mae o'n mynd i guddio yn y gornel tu ôl i'r cloc efo'i ddwylo dros ei ben."

"Be mae hynny'n 'i feddwl 'ta? Be mae *over the top* yn 'i feddwl, Lora?" Dyna sy'n dda am Lora, fedra i ofyn unrhyw beth iddi, yn enwedig pethau yn Saesneg, achos mae hi'n well Saesnes na fi, a wnaiff hi byth chwerthin a dweud 'mod i'n ddwl.

"Wel, maen nhw yn y ffosydd yn swatio, sti..." Peidiodd dwylo Lora â phlethu, gallwn deimlo'r rhuban yn cael ei glymu yn fy ngwallt. Yna, swatiodd Lora ar y llawr efo'i dwylo dros ei phen, i ddynwared sut y byddai'r milwyr yn swatio.

"Wedyn, pan mae hi'n amser iddyn nhw ymosod ar y Jeris, maen nhw'n cael yr ordors i ddringo allan o'r ffos, dros y weiran ac ar draws y *no man's land*..." Neidiodd Lora ar ei thraed a gwneud stumiau fel tasa hi'n dringo, a dechrau rhedeg rownd yr ystafell yn gwneud sŵn saethu "... a dyna pryd mae'r offisar yn gweiddi, '*Over the top lads*'..."

Ar hynny, fe ddaeth Jim bach i mewn a dechrau rhedeg ar ôl Lora rownd y lle gan weiddi a chwerthin. Disgynnodd Lora a neidiodd Jim ar ei phen nes roedd y ddau'n rowlio ar y llawr yn chwerthin ac yn gweiddi '*over the top, lads, over the top*', a Jim bach yn poeri dros bob man yn trio gwneud sŵn saethu.

Wedyn mi aethon ni i lawr i'r gegin i dorri brechdan i Jim.

Roedden ni'n tri'n eistedd wrth y bwrdd – Jim wrthi'n cnoi'n swnllyd a ninnau'n dwy yn ffysian sychu ei geg o ac yn ei ddandwn.

"Be sy'n bod arno fo?" gofynnais.

"Be?" Edrychodd Lora yn syn arna i, ac yna edrychodd ar Jim yn bwyta'n hapus braf. Yna, sylweddolais beth roeddwn i wedi'i ddweud, a beth roedd Lora yn *meddwl* roeddwn i wedi'i ddweud.

"Be sy'n bod ar Jim? Does dim byd yn bod ar Jim, fel'na mae o..." meddai Lora'n syn.

"Nage siŵr, be sy'n bod ar dy *dad*?" brysiais i esbonio. "Wyt ti'n meddwl y caiff o ddod adra'n fuan?"

"Dwn i ddim, sti. Mi gawn ni wybod pan ddaw Mam adra. Dim ond telegram gawson ni, yn dweud ei fod o wedi brifo ac ar ei ffordd o'r ffosydd." Cododd Lora ei brawd bach oddi ar ei gadair a rhedodd hwnnw allan i chwilio am ei frodyr.

"Ti'n gwybod y diwrnod hwnnw pan ddeudes i ein bod ni wedi cael telegram i ddeud ei fod o'n dod adra?" meddai Lora.

"Ia, a'r hen gythral Wil Ffurat ddim yn dy gredu di…" Doeddwn i ddim am iddi gofio fy mod i wedi ama'r peth hefyd.

"Wel, y cwbwl roedd y telegram hwnnw yn ei ddeud oedd ei fod yn gadael y brwydro. Doedd o'n deud dim byd ei fod o wedi brifo. Ond dyna fo, mi fasa'n rhaid iddo fod wedi brifo, yn basa, iddo fo gael dod oddi yno." Roedd golwg mor drist ar wyneb Lora, ceisiais feddwl am rywbeth ffeind i'w ddweud wrthi.

"Ella, wel, ella mai dim ond wedi brifo 'chydig mae o, sti. Fel tad Huw Rhos, wedi brifo'i droed…" Damia! Ddyliwn i ddim fod wedi dweud hynny chwaith. Pryd y dysga i i gau fy ngheg? Mi ddywedodd Gwen Jones mai wedi saethu ei *hun* yn ei droed roedd tad Huw Rhos er mwyn iddo ddod adra, ac mai cachgi oedd o go iawn, achos dyna oedd cachgwn yn ei wneud. Roedd Gwen Jones yn meddwl y dyliai tad Huw Rhos fynd o flaen *court marshall* am hynny. Dydw i ddim yn siŵr iawn beth ydi *court marshall*, ond roeddwn i'n gwybod na ddyliwn i ofyn i Lora. Dwi'n gwybod nad ydi *court marshall* yn rhywbeth dymunol, beth bynnag.

"Na, dwi ddim yn meddwl mai wedi brifo ei droed mae o, sti…" Roedd yna ryw dawelwch yn ei llais hi. Doedd hi ddim am fynd yn ei blaen, fel tasa hi eisiau cadw rhywbeth iddi hi ei hun.

"Wel, mi fedar chwarae pêl efo Jim felly…" ceisiais ei chysuro wedyn.

"Mae arna i ofn, Anni. Wedi brifo ei ben mae o, meddai Mam, ond doedd hi ddim yn gwybod pa fath o friwia oedd ganddo fo na dim." Sibrydodd, "Ond… be petai o wedi… ti'n gwybod, brifo ei ben a mynd yn dwlali fel y dyn yna o Blaena? Be tasa fo ddim yr un fath â Tada cyn iddo fynd i ffwrdd?"

Dechreuodd Lora grio'n dawel bach. Damia'r rhyfel yma! Yna, cofiais fod gen i hances les newydd ym mhoced fy ffedog. Ellis oedd wedi dod ag un i Enid, Mam a finna o Stiniog y diwrnod y bu o yno'n listio.

"Hwda." Estynnais yr hances iddi gael sychu ei dagrau.

"Gei di honna gen i, yli." Dwn i ddim pam y dywedais i hynny, achos yr hances honno oedd un o 'nhrysorau mwyaf i. Roeddwn i wedi meddwl ei chadw'n saff fel rhyw arwydd y byddai Ellis yn iawn. Ond unwaith rydach chi wedi rhoi rhywbeth i rywun, fedrwch chi ddim gofyn amdano'n ôl, yn na fedrwch?

Gwenodd Lora'n drist, a chadw'r hances yn ei llawes.

4

Roedd hwyliau da ar Ellis. Ond roedd Mam awydd dweud y drefn, er ei gamp yn ennill ar yr englyn yn y cyfarfod cystadleuol neithiwr.

"Ble buest ti mor hwyr yn dod adra?" holodd Mam.

"Wel, roedd yn rhaid mynd i ddathlu, yn doedd?" meddai Ellis yn ysgafn. Twt-twtiodd Mam. Doedd hi ddim yn licio meddwl am Ellis yn mynd i'r dafarn efo'r hogiau, ac yntau i fod yn athro ysgol Sul. Ond doedd hi ddim yn flin iawn efo fo, oherwydd rhoddodd fwy o lawer na'i siâr o botes ym mhowlen Ellis.

Rhoddodd Enid ei gwaith pwytho ar ben fy samplar i yn y fasged wnïo. Disgynnodd gwaith pwytho Mam ar y llawr wrth iddi wneud hynny.

"Cymer ofal wir, Enid. Be sy arnat ti? Mi rwyt ti'n sobor o ddi-lun," meddai Mam yn flin. Rhoddais wên fach dawel i fy chwaer fach. Chwarae teg i Enid, doedd hi ddim yn haeddu geiriau blin Mam.

"Dewch eich dwy, cyn i'r bwyd oeri," meddai Mam wedyn yn siarp. Roedd hi mewn hwyliau rhyfedd y dyddiau yma. Yn addfwyn ac yn freuddwydiol weithiau ac yna'n bigog a diamynedd dro arall.

Roedd Ellis wedi bod yn Wrecsam ym mhencadlys y Ffiwsilwyr Brenhinol Cymreig ac roedden nhw wedi dweud ei fod yn holliach, ac felly'n gallu ymuno â'r fyddin. Dwn i ddim pam y bu'n rhaid iddo fynd i'r fan honno chwaith, gan fod pawb yn gwybod bod Ellis yn iach fel cneuen. Dydi o byth yn cael annwyd hyd yn oed, a fynta'n aros ar ei draed trwy'r nos weithiau, yn sgwennu rhyw farddoniaeth.

Y diwrnod o'r blaen, mi aeth i fyny i'r Ffridd Ddu heb ei gap a'i wasgod, a hithau'n rhewi. Ei feddwl o sydd yn bell, meddai Mam. Mae o wrthi'n trio gorffen rhyw awdl neu rywbeth cyn mynd i ffwrdd. Mi fasa pawb arall wedi cael niwmonia. Dyna pam nad ydw i'n poeni erbyn hyn amdano fo'n mynd i Lerpwl i'r gwersyll hyfforddi, achos mi fydd Ellis ni'n iawn. Mae o bob amser yn iawn.

"Be ydach chi'ch dwy yn ei wnïo?" Stwffiodd Ellis y bara yn un darn i'w geg nes roedd briwsion yn tasgu i bobman.

"Ellis!" ceryddodd Mam, ond dim ond gwenu arnon ni wnaeth Ellis, a thynnu stumiau pan nad oedd Mam yn edrych. Mae o'n gwybod na fydd Mam yn flin efo fo o ddifri. Dydi hi byth yn flin efo Ellis. Fo ydi'r hynaf ohonon ni, a fo ydi'r ffefryn, dwi'n gwybod ac mae Bob ac Ifan yn gwybod, ond does neb yn dweud. Weithiau, rydw i'n teimlo dros y ddau arall. Adra yn helpu ar y ffarm maen nhwtha yr un fath ag Ellis, ond Bob ydi'r ffarmwr gorau o ddigon. Mae Ellis yn breuddwydio gormod a does yna ddim dal o gwbwl arno fo. Mi fyddai'r defaid i gyd i lawr yn y pentra petaen ni'n gadael pethau yn nwylo Ellis. Tydi o ddim hyd yn oed yn cofio cau giatiau ar ei ôl.

I'n gwlâu ar ein pennau fydd Enid a minnau'n cael ein hel, ond mi gaiff Ellis lonydd i aros ar ei draed trwy'r nos pan mae o angen gorffen sgwennu ar gyfer rhyw gystadleuaeth. Ond y dyddiau hyn, sgwennu penillion i gofio am rywun bydd o gan amlaf. Mae o'n sgwennu englynion i goffáu rhyw ffrind neu'i gilydd bron pob wythnos, achos mae cymaint o hogiau Traws wedi'u colli yn yr helynt ofnadwy yma.

Bob ac Ifan sy'n gorfod codi i fynd i borthi'r anifeiliaid, tra bydd Ellis yn ei wely.

Un diwrnod wythnos diwetha, roedd Mam wedi gwneud tân yn y parlwr bach ac roedd Ellis wedi bod ar ei draed trwy'r nos yn sgwennu rhyw farddoniaeth – awdl neu rywbeth. Cerdd hir, hir, anodd ei deall ydi awdl, meddai Maggie. Beth bynnag, roedd o wedi bod wrthi'n sgwennu tan chwech o'r gloch y bore, wedyn mi gododd Maggie a hel ei bapurau fo i gyd at ei gilydd a'u clymu'n daclus. Diolch ei bod wedi gwneud achos mi ddaeth dau ddyn pwysig yr olwg i fyny yma ganol bore i weld Ellis. Gweinidog oedd un a bardd oedd y llall. Wedi dod i gael sgwrs efo Ellis am farddoni, neu sgwennu, oedden nhw ac aeth Mam â nhw drwodd i'r parlwr bach.

"Ydi, mae o adra. Mae o o gwmpas y lle yma yn rhywle, wyddoch chi..." meddai hi'n dawel, oherwydd doedd hi ddim wedi dweud celwydd, yn nag oedd? Roedd Ellis o gwmpas yn doedd – roedd o yn ei wely! Wedyn mi fu'n rhaid i mi ruthro ag esgidiau Ellis i waelod y grisiau, tra bu Enid yn trio ei ddeffro.

"Mi a' i allan trwy'r cefn a phasio'n ôl heibio ffenest y parlwr, fel taswn i'n dod o gyfeiriad y ffridd," meddai Ellis, ond roedd ei wallt fel crib ceiliog ar ei ben o, a godre'i grys o allan yn y cefn. Dwi'n siŵr fod y ddau ddyn pwysig wedi deall yn iawn mai o'i wely y daeth o'r bore hwnnw.

Ond dyna fo, mae Ellis yn wahanol, mae'n debyg, achos ei fod o'n fardd, yn tydi? Mi fyddwn ni'n tynnu ei goes weithiau ac yn ei alw fo'n 'Hedd *Wyyyyn*', fel y byddan nhw'n ei wneud yn yr eisteddfodau, ac yn pwysleisio'r '*Wyyyn*' mewn llais crynedig fel yr arweinydd, ac yn galw arno fo i ddod i'r llwyfan i nôl ei wobr. Hedd Wyn, wir! Ellis neu Elsyn ydi o i mi a dyna fo.

Mi fydd Ellis yn codi wedyn ac yn bowio'i ben yn urddasol.

"Dowch â'r stôl i'r bardd gael eistedd yn hedd y gegin." Bob fyddai'n gwneud gwaith yr arweinydd ac yn gwthio Ellis i eistedd ar y stôl fach wrth y tân.

"Tawelwch yn y cefn yna'r tacla!"

Enid, Ifan a finna'n chwerthin a gweiddi wedyn, ac Ellis yn cymryd arno ei fod yn dweud y drefn. Unwaith, mi gododd yn sydyn a rhuthro at Enid, nes roedd honno'n neidio a sgrechian, ac wrth drio cuddio tu ôl i mi, mi aeth ei throed i mewn i'r potyn llaeth rywsut a'i droi nes roedd y stwff gwyn ar hyd llawr y gegin ym mhob man. Mi gafodd hyd yn oed Ellis gerydd y diwrnod hwnnw.

"O Hedd *Wyyyyyyn*, be fasa Jini Owen yn ei ddeud?" meddai Bob yn dynwared llais merch.

Jini Owen oedd cariad ddiweddaraf Ellis. Dim ond ambell gip ohoni roeddwn i wedi'i gael, ond roedd Ellis wrthi'n ysgrifennu penillion iddi o hyd. A Bob yn tynnu ei goes bob munud.

"O Jini, sut ydach chi'n licio'r cwpled bach yma, f'anwylyd?" Yna mi fyddai Bob yn mynd ati i adrodd y penillion yr ysgrifennodd Ellis i Jini. Wedi cael hyd iddyn nhw ym mhoced côt fawr Ellis roedd o, y papur efo'r penillion a sypyn o rug. Wrth gwrs roedd hynny'n ddigon o esgus i dynnu coes Ellis am wythnosau, ac Enid a finna efo fo.

"Sut mae'r pennill yn mynd? A ia – *Cofiwch, 'rhen Jennie, er gwaethaf pob cur, Fu neb yn eich caru erioed mor bur…!*"

Chwarddodd Bob a'i g'leuo hi am y drws, ac Ellis ar ei ôl o a sŵn hoelion eu hesgidiau mawr yn clecian ar y cerrig. Dwi'n gobeithio y gwnaiff Jini aros amdano fo tra bydd o i ffwrdd, achos dwi'n meddwl mai hi ydi'r un i Elsyn ni.

Mi fydd hi'n rhyfedd yma heb Ellis. Mi fydd yma lai o hwyl a chwerthin. Fydd neb yma i gadw cefn Enid a finna pan na fydd Mam yn ei hwyliau, er bod Maggie yn trio. Ellis ydi'r un i dawelu Mam bob tro.

"Be sy gen ti yn y fasged wnïo, Enid?" holodd Ellis. Roedd Enid yn dal â'i phen yn ei phlu ar ôl cerydd Mam.

"Dim byd o bwys," meddai gan syllu i'w phowlen wen.

"*Dim byd o bwys* clws iawn efo'r holl bwythau ffansi yna," chwarddodd Ellis.

"Fedri di weu hosan eto, Enid?" gofynnodd Ellis wedyn.

"Medra, dwi'n gallu… dwi'n gallu gwneud y sawdl a phob dim fy hun," gwaeddais inna'n falch. Ond edrych yn guchiog arna i wnaeth Enid, achos doedd hi ddim yn medru cael sawdl yr hosan yn iawn eto, er bod Mam yn trio'i gorau i'w dysgu hi.

"Dyna fo felly, dechreua weu sana i mi, wnei di, Anni? Ac os medri ditha weu crafat i mi gadw 'ngwar yn gynnas, Enid?"

"I be?" holodd Enid.

"Hen le oer ydi'r camp Litherland yna yn Lerpwl, sti. Mi fydda i angen dillad cynnas i fynd yno, yn byddaf?"

Roedd hi'n ddechrau Ionawr ac roedd Ellis wedi cael gwybod y byddai'n rhaid iddo gychwyn am wersyll milwrol Litherland ddiwedd y mis. Yn y fan honno roedden nhw'n mynd i hyfforddi, meddai Lora. Dwi ddim yn siŵr iawn be mae hynny yn ei feddwl, ond dysgu sut i fod yn filwr y bydd o yno.

Sut mae dysgu rhywun i fod yn filwr? Dwi ddim yn siŵr fedr neb ddysgu Ellis i fod yn filwr. Mae milwyr i fod i ladd dynion, yn tydyn? Doedd Ellis ddim llawer o eisiau lladd y ceiliog at ginio Dolig, hyd yn oed. Dweud ei fod o'n reit ffond o'r ceiliog a bod y ddau'n deall ei gilydd. Ond rhoi tro yn ei wddw wnaeth o yn y diwedd, pan ddywedodd Mam na fyddai ganddon ni ginio felly.

Ond dwi'n meddwl bod tipyn o wahaniaeth rhwng lladd aderyn at ginio Dolig a lladd dyn – hyd yn oed os mai Jeri ydi hwnnw.

5

Mae'r coffor mawr tywyll yn eistedd o dan y ffenest yn y llofft orau. Mae Mam wedi bod yn gosod y pethau bydd Ellis eu hangen ynddo – sanau a chrysau, menig a chapiau gwlân cynnes a rŵan dwi'n cael rhoi'r sanau dwi wedi llwyddo i'w gorffen ynddo hefyd. Mi ges i hwyl dda ar y sawdl, er bod Enid yn dweud eu bod nhw'n flêr. Mae'r coffor bron yn llawn, a dydi o ddim yn mynd am ddeuddydd arall.

"Oes rhaid i ti fynd â chymaint o bapurach a llyfra efo ti?"

Tada sy'n gafael ynddyn nhw ac yn edrych fel tasa fo am eu gwthio nhw o dan y gwely, ond mae Ellis yn mynnu ei fod o'n eu rhoi nhw'n ôl. Mae o'n cyboli am ryw ddarn o waith mae o'n gweithio arno fo rŵan, yr awdl honno sydd wedi bod yn ei gadw'n effro ers wythnosau. Mi aeth yn reit bigog a dweud y gwir, yn chwilio trwy'r papurau i wneud yn siŵr fod pob darn yno, ac yn edrych yn guchiog ar Tada. Dim ond Maggie sydd yn cael cyffwrdd ym mhapurau Ellis. Oni bai amdani hi, mi fyddai'u hanner nhw ar goll. Ond mae Maggie yn eu hel at ei gilydd, a'u clymu'n daclus iddo.

Rhyfedd, fydd Ellis byth yn tynnu'n groes fel arfer, ond roedd o fel 'tai o wedi cynhyrfu efo'r papurau yna. Mae'n rhaid eu bod nhw'n bwysig.

Tada druan! Rydw i'n cytuno efo fo, mi fasa'n well i Ellis adael tipyn o'r papurau adra er mwyn gwneud mwy o le i bethau eraill. Mae gwraig y gweinidog wedi gyrru parsel o fwyd – siwgwr, te a jam eirin – ac mae Mam wrthi ers dyddiau yn coginio, yn lapio pethau mewn papur llwyd ac yn clymu pethau mewn parseli i'w cadw rhag difetha. Dwi'n meddwl bod gan Ellis fwy na digon o ddillad a bwyd i'w gadw fo rhag rhewi a llwgu yn y lle Litherland yna. Ond dwi'n cytuno efo Tada, fedar o ddim bwyta ei bapurau, na fedar? A fyddan nhw'n dda i ddim iddo fo pan fydd o'n rhewi ar lan afon Merswy.

Dyna pam rydw i ar fy ffordd i dŷ Lora rŵan, achos mae Ellis yn dweud fod yn rhaid i mi fynd â hanner dwsin o wyau yno. Roedd Dodo Citi, mam Lora, wedi anfon siwgwr i fyny yma, ac roedd Ellis yn dweud ei bod hi fwy o angen parsel bwyd na fo. Felly rydw i fel io-io yn mynd a dŵad efo parseli bwyd, i lawr y ffordd ac i fyny yn fy ôl. Fedar Ellis ddim mynd â phob peth efo fo, beth bynnag. Mae'n rhaid i bob dim sydd yn y coffor ffitio i'r sach gefn sydd ganddo fo.

Pan agorodd Dodo Citi'r drws mi fedrwn ddweud fod rhywbeth yn wahanol yno. Doedd hi ddim fel tasa hi am fy ngadael i mewn i ddechrau, dim ond cilagor y drws wnaeth hi, ac o'r ochr arall mi fedrwn glywed sŵn rhywun yn symud. Coesau cadair yn sgriffian yn erbyn crawiau'r llawr a sŵn drws yn agor a chau.

"Aros funud, Anni," meddai hi a chau'r drws yn fy wyneb. Dwn i ddim beth ddaeth drosti, mae Dodo Citi y glenia o bobl fel arfer, ond roedd ei hwyneb hi'n welw a di-wên. Yna, wedi i mi aros am funud, mi glywn rhywun yn nesáu at y drws eto ac yn ei agor.

Lora oedd yno y tro yma. Dim ond un cip ar wyneb Lora ges i i sylweddoli fod rhywbeth mawr o'i le. Daeth rhyw deimlad oer drostaf i, yn union fel tasa rhywun wedi gwneud i mi lyncu rhew a bod hwnnw'n cau am fy nghalon i. Ddywedodd Lora ddim byd chwaith, a doedd hi ddim yn crio.

Estynnais yr wyau iddi, a chymerodd hithau'r fasged a'i gwagio, cyn ei hestyn yn ei hôl i mi. Yna, eisteddodd Lora ar y stôl fach wrth y tân, ei breichiau am ei gliniau a'i llygaid yn syllu i nunlle. Eisteddais inna wrth ei hymyl. Wyddwn i ddim beth i'w ddweud. Roedd y gegin yn edrych yr un fath ag arfer, y lliain coch trwm ar y bwrdd, a'r lamp ar ei ganol, y ffenest fechan a'r les ar ei thraws yn gadael yr ychydig o olau a oedd yno i mewn. Roedd dail yr asbidistra yn creu cysgodion duon fel bysedd ar hyd y lliain bwrdd. Diolch byth does ganddon ni ddim asbidistra yn ein tŷ ni. Does ganddon ni ddim les ar ffenestri yr Ysgwrn chwaith. Mae Bob yn dweud mai'r rheswm am hynny ydi fod coesau pryfaid cop yn mynd yn sownd yn y les, a'u bod nhw yno wedyn fel byddin, yn sownd yn eu hunfan. Dwi ddim yn meddwl mai dyna'r gwir reswm. Mae tŷ Lora yng nghanol stryd a heb y les mi fedrai pobl fel Gwen Jones wthio'i thrwyn busneslyd at y gwydr i wylio Jim bach yn trio cael ei lwy i'w geg, a'i uwd yn mynd dros ei wyneb a'i ddillad. Edrychais yn ofalus ar y patrymau a'r tyllau les i weld oedd yna bryfaid cop yno, ond welais i'r un.

Roedd Lora yn dal i eistedd gan syllu i nunlle.

"Lle mae Jim bach a'r lleill?" mentrais ofyn yn dawel. Wnaeth Lora ddim fy nghlywed, mae'n rhaid, oherwydd wnaeth hi ddim symud gewyn, dim ond dal i syllu ar y fflamau bach glas yn llyfu ochrau'r grât. Ydi fflamau glas yn golygu bod eira ar ei ffordd? Os daw hi'n eira mawr efallai na fydd y trên yn medru dod trwy Gwm Prysor, ac efallai na fyddai'n rhaid i Ellis fynd i Lerpwl wedi'r cwbwl. Dechreuais weddïo dan fy ngwynt... *O Dduw, gwna iddi fwrw eira bob dydd nes bydd y rhyfel wedi dod i ben. Gwna iddi luwchio, nes na welwn ni allan trwy'r ffenestri hyd yn oed... Diolch i ti o Dad Nefol am, am, am.... ym, gael gwared o'r peswch, Amen.* Dwi ddim yn siŵr mai Duw gafodd wared ar fy mheswch i chwaith. Dwi'n meddwl mai'r mêl gawson ni gan Idris Huw wnaeth hynny, ond rhaid i mi ddiolch am rywbeth os rydw i'n gofyn am rywbeth arall. Mae siarad efo Duw ychydig 'run fath â siarad efo chwaer

fach. *Gei di'r farblen yna gen i os ei di i nôl dŵr yn fy lle i.* Ffeirio
– dyna sut mae siarad efo Duw yn gweithio.

Edrychais yn ofalus ar yr ystafell rhag ofn i mi ddod o
hyd i gliw i fy helpu, ond roedd popeth yr un peth ag arfer.
Yna, cododd Lora ei phen ac amneidio at y drws tywyll yng
nghysgod y simdde, lle roedd y siambr fach.

"Tada," sibrydodd. "Mae Tada adra."

"O?" Llyncais fy mhoer. Mae'n rhaid felly fod ofnau Lora
wedi'u gwireddu. Oedd tad Lora wedi colli ei gof, wedi
gwallgofi? Oedd o'n mynd i fod yn un o'r dynion dychrynllyd
a oedd yn gweiddi a sgrechian yn y stryd, gefn trymedd nos?
Fyddai tad Lora fel y dyn yna yn y Blaena?

"Ers pryd mae o adra?"

"Bora 'ma. Mi ddaeth ar y trên ben bora i'r stesion, ac mi
roedd o yma cyn i 'run ohonon ni godi, cyn i neb arall fedru
ei weld o…"

"Wyt ti wedi'i weld o?" gofynnais yn ddistaw bach.

"Do."

"Ydi o, ydi o…?" *Ein Tad, yr Hwn wyt yn y Nefoedd…*
Roeddwn i wedi dechrau gweddïo eto. *O, Dduw Mawr, paid
â gadael i dad Lora fod yn dwlali. O, Arglwydd, bydd drugarog…
a dwi'n addo dysgu f'adnoda a'r Rhodd Mam i gyd pob gair, a
nôl dŵr heb i neb ofyn i mi, ac mi ro' i pob rhuban sydd gen i, a'r
broets gwydr i Enid, dim ond i dad Lora Margaret gael peidio â bod
yn dwlali.*

Mae'n rhaid 'mod i wedi cau fy llygaid yn dynn i siarad efo
Duw, achos pan agorais nhw wedyn roedd Lora yn sefyll wrth
y drws allan a golwg wyllt arni.

"Ewch â fo am dro bach eto…" Roedd y plant eraill wedi
dod yn eu holau o dŷ eu nain a Jim bach efo nhw. Ceisiodd
Lora afael ym mraich Jim, ond sgrialodd hwnnw i mewn
heibio i'w chwaer. Llamodd hithau i drio ei ddal ond roedd

o'n rhy gyflym iddi hi, a rhuthrodd heibio i finna ac am y siambr.

"Na!" gwaeddodd Lora, ond roedd Jim wedi agor y drws a rhuthro i mewn i'r ystafell fach heibio i'w fam. Rhuthrodd Lora at ddrws y siambr a dyna pryd ddaeth y sgrech. Nid un sgrech, ond sgrech yn dilyn sgrech, a phob un yn uwch na'r un o'i blaen. Rhedais inna at y drws i weld mam Lora ar ei gliniau yn cydio yn ei mab ieuengaf ac yn ei siglo yn ei breichiau, yn ceisio'i dawelu, ac yntau'n nadu ac igian a gwingo wrth drio'i orau i ddianc oddi wrth yr olygfa a oedd o'i flaen. Yno, yn eistedd yn ei gwman, ar erchwyn y gwely, roedd siap tywyll, toredig. Ceisiai fy llygaid wneud synnwyr o'r hyn a welwn. Beth oedd yno? Ellyll? Anghenfil? Fedrwn i ddim peidio ag edrych. Daeth y sgrech i fyny i'm gwddw inna heb i mi ddeall ei bod yno. A dyna pryd y sylweddolais fod Lora yn fy ymyl a'i bod hithau'n gweiddi, ac yn fy nhynnu tua'r drws.

"Paid, Anni!" ymbiliodd. Roedd ei breichiau amdanaf ac yn fy llusgo o'r ffordd, yn fy llusgo o'r siambr fach. Ond roeddwn i wedi'i weld. Dyn oedd yno. Roedd ganddo goesau, breichiau, ysgwyddau, gwddw, ond ei wyneb… Nid wyneb dyn oedd o. Fedrwn i ddim meddwl beth welais i ond doedd o ddim yn wyneb tad Lora. Roedd yr wyneb a'r croen wedi crebachu, fel cwyr wedi bod yn rhy agos at fflam, ac wedi toddi'n siapiau dieithr, yn greithiau coch a phiws. A'r geg yn ogof o groen llac, diwefus.

"Helô, sut mae petha yma?"

Daeth y llais o'r drws; llais cyfarwydd, cynnes. Ellis oedd yno, yn sefyll ar y rhiniog. Fedrwn i ddim symud, roedd rhywun wedi dyrnu hoelion anweledig trwy wadnau fy esgidiau. Roeddwn i eisiau rhedeg allan i adael i'r awel oer lifo drosta i, ond fedrwn i ddim symud.

"Ydach chi'n go lew yma?"

Daeth Ellis i mewn, a daeth Dodo Citi allan i'r gegin i'w gyfarfod a Jim bach yn dal i udo yn ei breichiau.

"Cau drws, Mam, cau drws…" sgrechiai, yn cicio i gael ei ryddhau. Rhoddodd Dodo Citi'r bachgen i lawr a rhuthrodd hwnnw allan i'r stryd, a gallwn glywed ei draed yn tawelu wrth iddo bellhau.

"Gad iddo fo, Lora," meddai Dodo Citi wrth weld Lora'n cychwyn ar ei ôl. "Ellis, tyrd i mewn. Rydan ni fel y gweli di ni…"

"Clywed wnes i fod Ifor adra," meddai Ellis, "a meddwl dod i edrych sut roedd o."

"Ydi, mae o adra. Mi ddaeth ar y trên peth cynta bore 'ma." Edrychodd Dodo Citi i gyfeiriad y drws roedd hi newydd ei gau. "Mae o yn y siambr, Ellis. Dwn i ddim os dyliet ti fynd i'w weld o, ond wedyn mae'n debyg mai chdi ŵyr hynny orau. Mae o wedi'i frifo'n ddrwg, wsti Ellis, ond … mi fendith."

Mi wyddwn i fod Ellis yn ffrindiau da efo Dewyrth Ifor, tad Lora, ond fedrwn i ddim gadael iddo fynd i mewn ato heb roi rhyw fath o rybudd.

"Na!" Edrychodd pawb arna i, ond fedrwn i ddim esbonio dim arall iddo.

"Mi liciwn i ei weld o, Cit, os ydi o'n fodlon," meddai Ellis.

"Na, Ellis, mi awn ni adra… mi fydd Mam yn ein disgwyl."

"Paid â bod yn wirion, Anni. Mi awn ni mewn dau funud ond gad i mi weld Ifor gynta."

Symudodd Ellis tua drws y siambr, ei gap yn ei law. Roedd o'n gwgu arna i ac yn edrych fel tasa fo am roi ffrae iawn i mi ar ôl mynd allan. Ond doedd o ddim yn gwybod beth roeddwn i'n ei wybod, yn nag oedd?

Diflannodd Dodo Citi yn ei hôl i mewn i'r siambr am funud, yna daeth yn ei hôl allan i'r gegin, gan adael cil y drws ar agor.

"Mae o'n gofyn os ei di i'w weld o, Ellis," meddai.

"Na!" Doeddwn i ddim am i Ellis weld beth roeddwn i wedi'i weld. Ond roedd Ellis wedi camu i'r siambr a chau'r drws ar ei ôl.

6

"Lle dach chi'ch dwy'n mynd?"

Pam fod Wil Ffurat yn dod i'r golwg bob amser pan mae rhywun leiaf angen ei weld o? Mae o fel llygoden fawr a'i drwyn bach main yn gallu ogleuo unrhyw friwsionyn o stori neu helbul. A dyma fo rŵan yn stwna ac yn busnesa, yn ein dilyn ni i fyny o dŷ nain Lora. Dydi Jim bach ddim am ddod o dŷ ei nain. Mae o wedi cyrlio'n belen fach ddagreuol ar y gadair siglo. Fedra i ddim ei feio fo. Ofn sydd arno fo, meddai nain Lora. Ofn y dieithrwch.

"Gad iddo fo yn fan hyn efo fi am rŵan," meddai nain Lora, "a dos ditha adra i helpu dy fam, Lora fach. Duw a ŵyr be ddaw ohonoch chi, wir…"

A dyna beth wnaethon ni. Gadael Jim bach yn sugno'i fawd ac yn igian crio. Doedd yr un ohonon ni eisiau mynd yn ôl i dŷ Lora chwaith. Dwi'n credu y byddai Lora wedi licio cyrlio ar y gadair siglo yn nhŷ ei nain a chael yr hen wraig yn mwytho'i gwallt hi. Ond pan rydach chi'n bedair ar ddeg, mae disgwyl i chi wneud rhywbeth defnyddiol, fel taflu cerrig at Wil Ffurat, y snichyn.

"Clywed fod dy dad di adra, Lora…"

Dim ateb. Wnaeth Lora na finna ddim sbio arno fo hyd yn oed, dim ond dal i gerdded yn ein blaenau.

"Ers bora 'ma, yn gynnar, ia Lora?"

Roedd Wil yn ceisio'i orau i ddal i fyny efo ni, ond rydan ni'n dwy yn gyflym, a dyna lle roedden ni'n sgrialu fraich ym mraich ar hyd y stryd, a Wil Ffurat yn ein dilyn o bellter diogel. Mae o'n gwybod bellach 'mod i'n ddiawch o gywir wrth daflu cerrig at fferau.

Ella y gwna i ofyn i Ifan, fy mrawd, ddod i lawr i'r pentra i ddychryn tipyn arno.

"Ydi dy dad yn iawn, yndi Lora? Adra ar *leave* mae o, ia?"

Eisiau gwybod er mwyn cael mynd â'r stori ar hyd y pentra mae o. Nid eisiau gwybod am ei fod o'n poeni. Un felly ydi Wil. Pan gafodd Ned, brawd Lora'r gansen yn yr ysgol wythnos diwetha am fethu sillafu 'Gallipoli', mi aeth Wil Ffurat yn syth adra ar ôl ysgol i ddwued wrth ei fam, ond gan iddo fo weld Dodo Citi ar ei ffordd, mi fu'n rhaid iddo gael dweud wrthi hi hefyd, heb sychu ei geg. Bron iawn i Ned gael y wialen fedw gan ei fam wedyn, cyn iddi ddeall nad oedd o wedi gwneud dim byd gwaeth na sillafu 'Gallipoli' yn anghywir. Dydi Dodo Citi ddim yn un i ddefnyddio'r wialen fedw fel arfer, dim ond os ydi'r hogia wedi bod yn cwffio. Dydi methu sillafu enw rhyw le ym mhen draw'r byd ddim yn rheswm dros roi cansen i neb.

Beth bynnag, snichyn ydi Wil Ffurat, a dyna fo. Roedd rhywun hefo Wil heddiw ond doeddwn i ddim yn ei adnabod. Bachgen pryd tywyll, tua phymtheg oed oedd o, a doedd o ddim yn dilyn Wil, dim ond aros yng ngwaelod yr allt, ac yn ôl ei ystum roedd o wedi gweld rhywbeth arbennig o ddiddorol ar flaen ei esgid.

"Ydi dy dad yn falch o fod adra, Lora?" gofynnodd Wil wedyn, ond chafodd o ddim ateb.

"Ydi o yn y tŷ rŵan?" Dim ateb.

"Ydi o yn ei iwnifform?" Dim ateb.

Mi welwn i'r bachgen arall yn rhoi'r gorau i astudio'i esgid ac yn nesáu'n ara bach i fyny'r allt. Sylwodd Wil Ffurat yn syth ein bod ni'n dwy wedi aros am funud i edrych ar y bachgen dieithr, felly tawodd, ond dim ond am eiliad. Yna, trodd aton ni'n dwy.

"Dwi'n gwybod pwy ydi o," cyhoeddodd yn bwysig, ac aros er mwyn cael y pleser o'n cael ni'n gofyn iddo fo pwy oedd o.

Roedden ni'n dwy yn gwybod yn iawn ei fod o'n ysu am i ni ei holi. Ond wnaethon ni ddim.

"Ydach chi eisiau gwybod pwy ydi o, ta be?" gofynnodd, ei drwyn bach main yn snwffian. Doedd gan Wil byth hances. Cododd ei lawes i sychu'r sneipan oddi ar ei drwyn.

"Wel?"

"Wel be?" meddai Lora.

"Wyt ti isio gwybod pwy ydi'r hogyn?" cynigiodd Wil wedyn.

Ond erbyn hynny roedd y bachgen dieithr wedi cyrraedd pen y stryd. Roedd cyfle Wil i gael gwneud argraff yn diflannu'n sydyn. Tynnodd anadl ddofn a gweiddi:

"Wedi dod i aros at ei fodryb mae o, ac mae o'n cychwyn gweini ar ryw ffarm ochra Fron Goch wythnos nesa…" Tawelodd Wil yn ara deg wrth sylweddoli fod y bachgen wedi dod i sefyll y tu ôl iddo, a doedd gan Wil ddim hyd yn oed yr wyneb i ddal ati i baldaruo, a'r gwrthrych yn sefyll yno'n gwrando.

Gafaelodd Lora yn fy mraich i'n dynn. Roedden ni'n dwy yn syllu ar y bachgen dieithr, mae'n rhaid, achos mi edrychodd yn ei ôl, fel 'tai o'n disgwyl gweld rhywun arall yno.

"Ti ydi chwaer fach Ifan a Bob, yndê?" meddai gan edrych yn syth arna i. Dwi'n gwybod fy mod i wedi cochi at fy nghlustiau, damia, ond roeddwn i'n trio cysuro fy hun mai cerdded i fyny'r allt a oedd wedi codi'r gwrid, gan obeithio mai dyna fyddai yntau'n ei feddwl hefyd. Ond wnaeth o ddim edrych arna i'n hir. Symudodd ei lygaid tywyll i edrych ar Lora.

"Mae'n ddrwg gen i," meddai'n swil. "Dydw i ddim yn gwybod pwy wyt ti."

"Lora!" gwaeddodd Wil. Roedden ni'n dwy wedi anghofio pob dim am hwnnw. "Lora Margaret, ac mae ei thad newydd ddod 'nôl o'r rhyfel, ac mae hi'n byw yn fan'na…" meddai Wil yn frysiog. Erbyn hyn, roedd ein sylw i gyd ar y bachgen dieithr, pryd tywyll a oedd yn sefyll yn swil ar ymyl y llwybr. Roedd Wil wedi mynd i swatio ar ben y wal, a'i lygaid bach miniog yn gwylio. Dwi'n meddwl y byddai Wil yn gwneud dyn papur newydd da iawn.

"Lora Margaret, a...?" Symudodd ei lygaid yn ôl i fy nghyfeiriad i.

"Anni," sibrydais.

"Mae hi'n byw yn yr Ysgwrn, ac mae ganddi hi frawd mawr sydd yn sgwennu penillion a ballu, ac mae o'n gorfod mynd i ffwrdd i ryfal rŵan hefyd..." ychwanegodd Wil, cyn mynd yn ei flaen i ddweud, "ac enw hwn ydi Hywel."

"Mae'n dda gen i'ch cyfarfod chi'ch dwy," meddai Hywel a bowio'i ben, gan gyffwrdd ymyl ei gap yn union fel 'tai o'n cyfarch dwy foneddiges.

Cydiodd Lora'n dynnach yn fy mraich i. Dwi'n credu ei bod hithau hefyd wedi sylwi, 'run fath â fi, nad oedd hwn fel hogia Traws. Roedd hwn yn ŵr bonheddig, a rhyw ddirgelwch ynghylch ei lygaid duon, dyfnion.

"Hywel Humphrey Jones, i chi gael fy enw i'n llawn," meddai gan droi at Wil a gwenu, cystal â dweud ei fod wedi medru yngan y geiriau cyn i hwnnw gael cyfle i dorri ar draws.

"A dwi wedi dod i aros at fy modryb i'r pentra am ychydig, rhag ofn na ddeudodd Wil wrthoch chi." Chwarddodd.

Roedd Lora'n syllu arno â'i cheg ar agor fel sgodyn a'i bochau'n writgoch, a bu'n rhaid i mi roi pwniad iddi yn ei hochr achos dwi wedi cael fy nysgu na ddyliech chi syllu ar bobl. Yn enwedig ar hogia ifanc.

"Paid!" meddai Lora'n ddigon pigog, felly mi wnes i gydio'n dynnach yn ei braich a'i throi hi am adra. Roedd hi'n mynnu sbio yn ei hôl dros ei hysgwydd ar y bachgen ifanc.

"Hwyl i chi, ferched. Fyddwch chi yn y Band of Hope nos fory?" gwaeddodd Hywel ar ein holau.

Arafais fy ngham, a throi yn fy ôl.

"Byddaf, siŵr," atebais, ond fedrodd Lora ddweud dim byd.

Llifodd rhyw deimlad cynnes braf trwy fy ngwythiennau, a fedrwn i ddim penderfynu os mai meddwl am Hywel yn y Band of Hope, ynteu teimlo cynhesrwydd Lora a oedd yn gafael yn dynn am fy mraich oedd y rheswm. Gwyliodd y ddwy ohonom Hywel yn troi i gerdded i lawr yr allt, yn ôl i gyfeiriad tŷ ei fodryb, a Wil Ffurat yn sgrialu mynd ar ei ôl. Sylwais sut roedd Hywel yn cerdded yn dal ac yn osgeiddig, ei gefn llydan yn diflannu heibio cornel y tai. Arhosodd a throi i godi llaw ar y ddwy ohonom, cyn diflannu o'r golwg.

"Dwi'n meddwl y do' i efo ti i'r Band of Hope nos fory, os bydd Mam yn fodlon. Ddoi di heibio fi, Anni?" meddai Lora, a theimlais ei braich yn cydio'n dynnach yn fy un i.

"Wrth gwrs," atebais.

Brysiodd y ddwy ohonom wedyn i fyny'r allt tuag at dŷ Lora. Yn sydyn, roeddwn i'n teimlo'n euog. Ddylwn i ddim bod yn edrych ymlaen at rywbeth fel y Band of Hope, a theulu Lora yn y fath helbul.

Dyna pryd y gwelson ni Ellis yn dod allan o'r tŷ. Plygodd Dodo Citi yn ei blaen i ddweud rhywbeth wrtho ac yna estynnodd ei hances at ei llygaid. Roedd Ellis â'i gefn aton ni, felly fedrwn i ddim clywed y sgwrs ond gwelais ei law yn cyffwrdd â braich Dodo Citi mewn ystum o gysur, ei ben wedi gwyro. Rhywsut, gwyddwn cyn iddo droi i'n hwynebu ni y byddai rhywbeth wedi newid yn Ellis o'r eiliad y gadawodd o'r tŷ. Y tŷ lle roedd tad Lora'n eistedd yn y cysgodion yn cuddio'i wyneb rhag llygaid creulon y byd tu draw i'r drws.

"Ty'd Anni, mi awn ni adra," meddai Ellis, a chefais drafferth i ddal i fyny efo fo, gan ei fod o'n brasgamu o 'mlaen, ei gefn wedi plygu yn erbyn y gwynt oer a'i gap yn isel dros ei lygaid.

"Ellis…" Rhedais ar ei ôl, fy anadl yn cael ei gipio gan y gwynt oer a oedd yn gyrru i lawr o gyfeiriad y Migneint. Rhewynt. Roeddwn i eisiau i Ellis arafu, roeddwn i eisiau gwybod ganddo a oedd hi'n iawn i mi edrych ymlaen at y Band of Hope? Oeddwn i'n anghywir i deimlo cyffro a hapusrwydd, tra oedd Lora a'i theulu yng nghanol pryder dychrynllyd?

"Ellis, ti'n gwybod pan fydd rhywun fel dy ffrind gora di'n drist, ydi hi'n iawn i ti deimlo'n hapus am rywbeth arall...?" Doeddwn i ddim yn siŵr sut i roi fy nheimladau mewn geiriau, ac mae'n rhaid na ddeallodd Ellis beth roeddwn i'n trio'i ddweud achos wnaeth o ddim fy ateb.

Wedi i mi gyrraedd at ei ymyl, cymerais gip ar ei wyneb, ond doedd yr ysgafnder cyfarwydd ddim yno. Dim ond pryder yn hel yn gysgodion o dan ei lygaid. Doeddwn i ddim yn hoffi'r tawelwch rhyngon ni, doedd yna ddim hwyl yn y cydgerdded am adra fel roedd yn arfer bod. Gadawsom y pentra a'r tai y tu ôl i ni a cherdded am adra cyn gynted ag y gallem. Roedd y gwyll yn cau ei freichiau llwydion am y wlad o'n cwmpas, ac am ein meddyliau rywsut. Yna, wrth i ni droi i fyny'r allt am yr Ysgwrn, arhosodd Ellis yn sydyn a throi ata i.

"Anni," meddai, ac aros i edrych arna i. "Paid â gadael i'r rhyfel yma dorri dy ysbryd di... rwyt ti'n ifanc a dy fywyd o dy flaen di. Paid â gadael i'r hen dywyllwch yma dy fygu di – addo hynny i mi, Anni." Roedd ei eiriau yn fy nychryn i. Nid yr hen Ellis hwyliog oedd hwn. Nid ein Ellis direidus ni. "Mi ddown ni i gyd drwyddi, ac mae Ifor yn siŵr o fendio wyddost ti, a bydd y creithiau'n lleihau o dipyn i beth. Cofia ein bod ni'n mynd â thipyn o eli i lawr iddo fo gan Mam."

Mae'n rhaid ei fod wedi gweld yr olwg syn ar fy wyneb. Ceisiodd wenu ond doedd y wên ddim yn cyrraedd ei lygaid. Roedd y rheiny'n dal yn llawn pryder. Arhosodd am funud i edrych draw am y golau gwan a ddaethai trwy Ddrws Ardudwy o gyfeiriad y môr.

"Wrth gwrs fod gen ti hawl i fod yn hapus… nid wyneb hir mae Lora a'r lleill eisiau ei weld pan ei di heibio, nage? Paid â newid, Anni fach, paid â newid dim."

7

Erbyn i ni gyrraedd yn ein holau roedd Maggie hefyd wedi cyrraedd yn ei hôl o Lerpwl ar y trên olaf. Roedd hi'n llawn o hanes y ddinas. Safai ar ganol llawr y gegin yn disgrifio gwisgoedd y merched, gan wneud stumiau i ddangos sut roedd eu hetiau sidan yn eistedd ar eu pennau, ac yn trio cerdded yn osgeiddig rhwng y bwrdd a'r lle tân i ddangos sut roedd y merched crand yn cerdded. Ond bu bron iddi faglu dros goesau Ifan.

"A'r sgidiau, Mam! Fe ddylech fod wedi'u gweld. Lledr meddal a'r rheiny'n sodla bach main a bycla ar eu hochrau, a'r merched yn cerdded ar hyd y stryd a'u ffera yn y golwg. A'r ceir, wyddost ti, Ifan…"

"Eu ffera nhw yn y golwg?" dwrdiodd Mam. "Ddylia neb fod mor bowld â dangos eu ffera, yn arbennig ar ganol stryd yn Lerpwl o bob man," twt-twtiodd.

"Gest ti fynd mewn moto car, Maggie?" holodd Ifan, yn trio cael lle i'w goesau hirion o dan y bwrdd. Dwi wrth fy modd pan mae pawb wedi'u gwasgu i mewn i gegin yr Ysgwrn, pawb ar draws ei gilydd yn gynnes.

"Naddo siŵr, dim ond y bobol grand sydd gan foto car yn Lerpwl hefyd, sti. Ond roedd yna fwy ohonyn nhw yno y tro yma nag a welais i o'r blaen. Mae ambell i siop wedi dechrau mynd â'u nwydda o gwmpas ynddyn nhw… ella y dôn nhw i Draws erbyn bydd y rhyfel 'ma ar ben, Ifan."

"Hy, sticia di at y coesau hirion, neu feic! Byddan nhw'n saffach i ti, Ifan!" ebychodd Tada. Tydi Tada ddim eisiau gweld y peiriannau yma yn yr Ysgwrn. 'Hen dacla peryg' mae o'n galw pob peiriant. Ond edrych yn bigog arno fo wnaeth Ifan. Dwi'n meddwl y bydd gan Ifan foto car rhyw ddydd, ac ella yr aiff o â fi i'r Bermo i lan y môr ynddo fo. Dwi'n credu hefyd fod Ifan yn eitha cenfigennus o feddwl am Ellis yn cael mynd i Lerpwl, achos peiriannau a phethau felly ydi ei ddiddordeb mawr o. Mae o'n mwydro o hyd am ryw *Model T,* a phan ddaw'r perchennog tir a'r bobl fawr i saethu yn yr Ysgwrn, mi fydd Ifan wrth ei fodd yn astudio'r ceir ac yn trio meddwl sut mae hyn a'r llall yn gweithio.

Roedd pawb wedi tyrru o gwmpas y tân i gael gwrando ar Maggie a'i hanesion am Lerpwl, y ddinas anhygoel honno.

"Ellis, roedden nhw'n dangos lluniau'n symud, sti, fel *magic lantern,* ond pictiwrs roedden nhw'n ei alw fo. Ac mi roedd y pictiwrs 'ma'n dangos pam mae'n rhaid inni anfon milwyr i Wlad Belg. Roedd o'n dangos Gwlad Belg fel merch ifanc glws yn eistedd ar y traeth yn benisel…" chwarddodd Maggie, "a'r hen Kaiser a'i wyneb hyll fel rhyw aderyn 'sglyfaethus yn ei chodi yn ei grafangau ac yn mynd â hi i'w nyth yn yr Almaen." Arhosodd Maggie a chymryd arni ei bod yn aderyn yn cau ei breichiau am Enid nes roedd honno'n gwichian dros y gegin. "Wedyn, mi roedd milwyr Prydain yn trio'i hachub hi yn y llun, a dyma pawb oedd yno'n gwylio'r pictiwrs yn dechrau gweiddi a chlapio a chanu, a'r milwyr yn eu hiwnifforms yn cael eu codi ar ysgwyddau a phobol yn curo'u cefna nhw ac ati… Wel, mi roedd yna le yno, Ellis, ac o Litherland roedd y rhan fwyaf o'r milwyr yno'n dod. Mi weles i Islwyn Francis, Stiniog. Wsti pwy dwi'n feddwl? Wel, roedd o'n deud fod y camp yn iawn, ac yn deud y bydd o yno pan ei di, ac mi ddaw o i chwilio amdanat ti, medda fo…"

Roedd Maggie'n dal i siarad, gan dynnu pethau allan o'i bag – cerdyn lliw efo llun merch mewn ffrog laes wen a blodau yn ei gwallt i Enid, a darn bach o ruban coch i minna. Roedd pawb mor brysur fel na wnaeth neb sylwi ar Ellis am funud. Wnaeth o ddim ateb, dim ond gwenu'n drist ar Maggie. Doedd o ddim wedi tynnu ei gôt hyd yn oed, dim ond eistedd yn swp wrth y tân yn syllu i mewn i'r fflamau. Edrychodd Maggie oddi wrth Ellis ac ata i. Mi geisiais i wenu'n ôl arni, ond rhyw wên gam oedd hi. Edrychodd Maggie ar Mam wedyn, ond wnaeth Mam ddim ond codi ei hysgwyddau i ddweud nad oedd hithau'n gwybod beth oedd yn bod.

O un i un, tawelodd y sgwrsio a'r chwerthin a doedd neb rywsut awydd clywed 'chwaneg o hanes Lerpwl gan Maggie. Lle felly ydi'r Ysgwrn, os nad oes yna hwyliau ar Ellis, yna does dim hwyliau ar neb arall chwaith.

Ar ôl swper a chlirio'r llestri, cafodd Enid a finna ein hel am ein gwlâu. Dydw i ddim yn gwybod pam mae'n rhaid i mi fynd i 'ngwely 'run pryd ag Enid, mae hi'n llawer iau na fi. Ond mae hi'n hen fabi clwt, yn gwrthod mynd i fyny'r grisiau ar ei phen ei hun, yn mynnu fod yna rywbeth yn chwythu'r gannwyll allan unwaith yr aiff hi i ben y landin. Mae'r gannwyll yn diffodd am ei bod hi'n agor y drws yn rhy sydyn. Ond mae hi'n mynnu bod rhywbeth yno, yn y cysgodion. Unwaith, i'w dychryn hi go iawn, mi rois i siôl ffwr Mam ar ben drws y llofft, ond mi roddodd Enid y ffasiwn sgrech pan ddisgynnodd y ffwr dros ei hwyneb hi, dwi'n meddwl i mi ddychryn mwy na hi, achos roeddwn i'n meddwl ei bod hi am gael ffit, a marw yn y fan a'r lle.

Ta waeth, i'n gwlâu bu raid i ni'n dwy fynd, ond pan fyddwn ni'n dwy yn ein gwlâu, dwi'n gwybod mai dyna pryd y mae'r gwir yn cael ei ddweud yn y gegin. Felly mi wnes i roi esgid yn erbyn drws y gegin fel nad oedd o wedi cau'n iawn, er mwyn i mi glywed y sgwrs wrth eistedd ar waelod y grisiau.

Swatiodd Enid wrth fy ymyl yn y gwely.

"Wyt ti'n licio'r llun ges i gan Maggie?" holodd yn gysglyd.

"Yndw, un clws ydi o. Un diwrnod, gawn ninna ffrogia gwynion yn les i gyd a bloda fel'na yn ein gwalltia, sti Enid…

ac os leici di, mi gei di fenthyg fy rhuban newydd i i'w roi ar dy ffrog i fynd i'r ysgol Sul."

Dwi'n gwybod yn iawn sut i gael Enid i gysgu'n sydyn er mwyn i mi gael codi a sleifio i ben y landin i wrando – dim ond dweud pethau ffeind a mwytho'i gwallt hi ac mi fydd hi wedi cysgu mewn chwinciad.

Roedd hi'n oer ar ben y grisiau er i mi wisgo fy nghôt dros fy nghoban, a rhoi fy sanau yn ôl am fy nhraed. Es i lawr un gris ar y tro, gan ddal fy ngwynt. Roedd un styllen ar y gris canol yn siŵr o wichian felly roedd yn rhaid camu heibio i hwnnw a dal yn dynn yn y canllaw, rhag ofn i mi golli fy ngham a glanio'n glewt ac yn swnllyd ar waelod y grisiau. Roedd golau aflonydd y tân yn gwasgu trwy'r hollt bach yn y drws. Dawnsiai'r siapiau bach oren ar y pared wrth fy ymyl, a bron nad oedd arna inna ofn, fel Enid, achos weithiau gallwn daeru fod yna fysedd yn symud ar draws y pared ac yn dod amdanaf, i fy mhinsio.

Ond wrth i mi setlo ar waelod y grisiau gallwn glywed Tada'n gofyn,

"Fydd yn rhaid i Ifor fynd yn ei ôl i'r ffosydd ti'n meddwl, Ellis?"

Roedden nhw'n siarad am Dewyrth Ifor, tad Lora.

"Na, go brin. Fedar o ddim dod allan o'r siambr, mae o wedi cael ei frifo'n go ddrwg…"

"Fydd o'n medru gweithio, wyt ti'n meddwl?"

"Mi all weithio os cymrith rywun o, ond fydd Ifor byth 'run fath, Tada – ei wyneb o…"

"Y nwy?"

"Nage, cael ei saethu yn ei wyneb gafodd o."

Roedd yn rhaid i mi glustfeinio i glywed geiriau Ellis, gan fod pob gair yn teimlo fel 'tai o'n cael ei lusgo o'i geg.

"Dduw Mawr!" ebychodd Tada, ond ddywedodd neb yr un gair am funud, dim ond sŵn y cloc yn tician.

"Mae ei ên o wedi mynd, Tada. Maen nhw wedi gorfod ailadeiladu gên iddo fo, a fedar o ddim siarad wyddoch chi, na bwyta dim ond bwyd llwy. Pan mae o'n trio deud rhywbeth mae'r poer yn hel yn ffrom lle dylsai ei wefus isa fo fod, ond does yna ddim ceg, dim ond twll fel ogof, 'Nhad. Dydw i ddim yn gwybod a alla i fod yn ddewr fel yna, wyddoch chi... dydw i ddim yn gwybod sut y daw hyn i ben."

Gallwn ddychmygu Ellis a'i wyneb yn ei ddwylo, a'i lygaid yn llawn poen.

"Ifor druan. Sut mae Citi'n dygymod?" holodd Tada wedyn, ond aeth tipyn o amser heibio cyn i Ellis fedru ei ateb.

"Maen nhw'n ddewr yno, yn ddewr iawn, ac mae hi'n lwcus o'r plant hynaf, ond dwn i ddim sut y daw Jim bach i nabod ei dad eto. Dydi o'n gwneud dim byd ond sgrechian pan welith o..."

"Dyddia cynnar ydi hi eto; mi ddaw. Mi eith dy fam i lawr fory i weld os medar hi neud rhywbeth i helpu, ac mi eith ag Anni efo hi. Ella y medra inna gymryd Ifor yma. Duw a ŵyr mi fedrwn ni wneud efo llaw arall i helpu a titha'n gorfod mynd."

Cododd Tada, roedd hi'n amser iddo noswylio. Brysiais inna yn ôl i fyny'r grisiau a llithro'n dawel fel ysbryd at ymyl Enid, heb ei ddeffro. Wnes i ddim cysgu, gallwn glywed Mam a Tada yn sgwrsio'n dawel mewn lleisiau syber am y pared â mi. Wedyn, daeth Maggie i'r gwely bach o dan y ffenest, ond wnes i ddim dweud gair wrthi, dim ond cymryd arna i 'mod i'n cysgu. Roedd Ifan a Bob yn eu gwlâu, ond gwyddwn nad oedd Ellis wedi symud oddi wrth fwrdd y gegin.

Gorweddais am sbel yn gwylio golau'r lleuad yn symud ar draws y nenfwd ac yn gwneud siapiau bach ar hyd y craciau. Tawelodd lleisiau Tada a Mam ac roedd anadl cyson Maggie ac Enid yn arwydd eu bod yn cysgu'n drwm. Codais yn dawel, dawel, a gwisgo fy nghôt a fy sanau unwaith eto. Roedd hi'n ddeifiol o oer a gallwn weld fy anadl yn codi'n gymylau yn y golau gwan a dreiddiai i mewn wrth ymyl y llenni. Sleifiais i lawr y grisiau ac anghofio am y styllen swnllyd. Rhoddodd hithau wich a oedd yn ddigon i ddeffro pawb yn y tŷ, a dyna pam, mae'n debyg, nad oedd Ellis wedi'i synnu pan wnes i agor drws y gegin. Roedd o yno wrth y bwrdd, a'r lamp yn taflu golau dros y papurau oedd yno'n blith draphlith.

"Methu cysgu wyt ti, Anni?" gofynnodd.

"Ia," sibrydais, ac es i eistedd ar y stôl fach wrth ochr y tân.

"Pam? Be sy'n dy boeni di?" gofynnodd.

"Methu stopio meddwl ydw i," meddwn inna.

"Mae isio i ti feddwl, Anni, ond ella ddim cefn trymedd nos. Mae meddwl yn beth da; dim digon o feddwl ydi'r drwg yn y byd 'ma."

"Be wyt ti'n neud, Ellis?" holais. Gwyddwn fod ei feddwl ymhell bell. Roedd o yng nghanol ei eiriau. Fedrwn i ddim gweld sut y gallai o ddianc at ei farddoniaeth pan fyddai yn Litherland, a'r holl waith dysgu lladd yn ei wynebu.

"Dwi'n dal ar yr awdl, Anni. Dwi am drio ei gorffen, i mi gael ei hanfon i gystadleuaeth y gadair yn Eisteddfod Genedlaethol Birkenhead... Maen nhw'n gofyn am awdl am 'Yr Arwr'."

"Am be mae'r penillion yn sôn, Ellis? Pwy ydi'r arwr ynddyn nhw? Ydyn nhw'n benillion hapus?"

Arhosodd Ellis cyn ateb ac roeddwn i'n meddwl am funud nad oedd am fy ateb i o gwbwl. Swatiais yno heb symud gewyn wrth y tân. Yna, cododd Ellis ei ben yn sydyn a gwenu.

"Ydyn, rywsut, sti. Mae yna rannau hapus ynddi, Anni, achos wyddost ti pan oedden ni'n dod adra heno, a chditha'n gofyn a oes gen ti hawl i fod yn hapus er bod yr holl betha trist yn digwydd o'n cwmpas ni?" Nodiais ac aeth Ellis yn ei flaen. "Wel, deud ydw i, neu drio deud, fod yna rywbeth neu rywrai – grym, ia, grym sydd yn fwy pwerus na drygioni yn y byd, ac mai hwnnw ydi'r 'arwr'; hwnnw fydd yn gwneud yn siŵr fod cyfiawnder ar y ddaear. Pan gaiff pobol chwarae teg a rhyddid, yna byddan nhw'n hapus, mae'n debyg…"

Cododd Ellis. "Rhyw betha fel'na sydd ynddi, Anni, ond mae gen i waith arni eto cyn y bydd hi'n barod i'w hanfon…" Aeth at y drws ac amneidiodd arna i i'w ddilyn. "Ty'd, gwisga dy glocsia, mi awn ni allan i edrych ar yr awyr. Mae hi'n noson loergan braf. Ty'd, Anni."

A dyna lle buon ni'n dau yn edrych draw am y Migneint, cyn troi i edrych wedyn i'r gorllewin a siapiau mawr solat y Rhinogydd yn codi fel dau gawr llwyd yn eu cwman.

"Edrych," meddai Ellis, "edrych ar y sêr. Edrych ar y miloedd o glystyrau sydd yna; fedar neb na dim heblaw am y wawr ddiffodd y sêr, sti, a phan mae'r wawr yn dod, mae pob dim yn edrych yn well wedyn, yn tydi? Pan fydda i yn Litherland, ac os bydd yn rhaid i mi fynd i'r ffosydd, Anni, dwi am i ti edrych ar y sêr, ac mi wna inna 'run fath, yli. Dwi am i ti gofio be ddywedais i wrthat ti heno. Fedar neb ddiffodd y sêr. Neb."

Aethon ni'n dau'n ôl i'r tŷ wedyn, a rhoddodd Ellis fymryn o lefrith ar y tân i gynhesu i ni'n dau, achos mae llefrith cynnes yn helpu rhywun i gysgu, meddai Ellis. Mi es inna'n ôl i 'ngwely wedyn, ac agor mymryn ar y llenni i mi gael cip ar y sêr, ond mae'n rhaid 'mod i wedi cysgu, achos welais i'r un.

8

"Wyt ti'n meddwl y daw o heno?"

Roedd Lora wedi dod i 'nghwfwr i ac roedd y ddwy ohonom ar ein ffordd i'r Band of Hope.

Doeddwn i ddim wedi bod heibio Lora heddiw, achos roeddwn i wedi bod yno efo Mam ddoe. Bob tro y byddwn i'n mynd yno rŵan, mi fydda i'n cnocio yn gyntaf achos dwi'n gwybod nad ydi Dewyrth Ifor eisiau i neb ei weld o, felly mae o'n mynd trwodd i'r siambr os daw rhywun heibio'r tŷ. Mae ganddo fwgwd lledr i'w wisgo, meddai Lora, ond mae hwnnw'n hen beth poeth ac annifyr, felly fydd o ddim yn ei wisgo'n aml. Aeth Mam a finna ag eli yno ddoe. Mae Mam yn un dda am wneud eli efo dail ceiniog, ella y gwneith o leddfu peth ar y creithiau, ond fedr o wneud dim byd am y rhan o'r wyneb sydd ddim yna bellach.

"Wyt ti'n meddwl y daw Hywel i'r Band of Hope?" meddai Lora wedyn. Roedden ni'n dwy wedi mynd yno'n gynnar ac yn eistedd ar y fainc yn ddisgwylgar. Eisteddai'r merched i gyd ar un ochr a'r bechgyn ar yr ochr arall, yn herio a chamfihafio fel y byddan nhw o hyd. Roedd rhywun wedi dwyn cap Wil Ffurat ac roedd hwnnw'n gweiddi a phaldaruo, ac yn trio neidio i'w gipio o law Deio Mawr ac yn methu pob gafael. Bron iawn nad oedd gen i biti dros Wil Ffurat y funud honno. Ond newidiais fy meddwl yn ddigon sydyn pan sylwodd o ar Lora a finna, a gweiddi dros y lle 'mod i wedi gwisgo rhuban coch achos bod Hywel, y bachgen newydd, yn dod yno. Dwi'n siŵr bod fy wyneb yr un lliw â'r rhuban ddiawl, ac os caf i afael ar y Wil Ffurat gythral, mi fedra i roi ei ben o yn y ffos yn hawdd.

Mae Mr Jones newydd godi rŵan i sôn am yr amod dirwest.

Rydan ni i gyd wedi addo na fyddwn ni'n cyffwrdd â'r ddiod feddwol, ac wedi gwneud amod dirwest. Mae o wrthi'n pwysleisio pa mor bwysig ydi hi i ni 'ymatal rhag y ddiod feddwol, a wnaiff eich arwain yn syth tua'r ffordd at dân uffern!'

Mi fedra i weld rhai o'r hogia'n ei ddynwared, yn chwifio'u breichiau yn yr awyr, ac yn tynnu wynebau wedi iddo droi ei gefn. Mae o'n dangos yr un llun bob wythnos − ar un ochr i'r darlun mae yna gwmwl gwyn a haul yn tywynnu, ac yn y cwmwl gwyn mae yna wyneb ffeind yn gwenu. Wyneb Duw, mae'n debyg, er dwn i ddim sut mae rhywun fod i wybod sut beth ydi wyneb Duw chwaith. Os ydi Duw mor ffeind, pam ei fod o'n gadael i Ellis ni fynd i ryfel? A pham ei fod o wedi gorfodi Dewyrth Ifor i ddod adra heb hanner ei wyneb? Dwi'n trio gwthio'r meddyliau hynny o'm meddwl ac yn trio edrych eto ar y darlun. Tuag at yr wyneb ffeind mae yna bobl yn cerdded ar hyd llwybr cul, ac mae eglwysi a chapeli ar hyd y llwybr hwnnw, a'r teuluoedd i'w gweld yn gwenu'n angylaidd. Mae pob un teulu ar y llwybr cul yn edrych yn hynod o daclus a pharchus, yn glws a glandeg. Ond dim ond ychydig ohonynt sy'n troedio'r llwybr hwnnw.

Yr ochr arall i'r darlun mae yna gwmwl mawr du a mellt yn tasgu ohono fo, ac wyneb diafolaidd coch yn gwgu. Tuag at hwnnw mae pobl flêr a garw yn crwydro ar hyd ffordd lydan, rhai yn eu cwman ac eraill a'u hwynebau creithiog yn crechwenu'n hyll. Yma ac acw ar hyd y ffordd honno mae tafarndai a thai efo merched mewn ffrogiau cochion yn dangos eu fferau, a'u breichiau o amgylch ysgwyddau rhyw ddynion amheus yr olwg. Mae Mr Jones yn dal i bregethu am ddilyn y llwybr cul, ond does fawr neb yn gwrando, felly mae ei lais yn mynd yn fwy a mwy gwichlyd, a'r cwbwl dwi'n gallu ei glywed ydi 'tân uffern, tân uffern, tân, uffern…'

Mae hi mor oer yn y capel, dydi bygwth tân uffern ddim yn dychryn llawer arnon ni. Dwi wedi mynd i freuddwydio eto… sgwn i ai merched fel y rhain yn y llun welodd Maggie yn Lerpwl? Roeddwn i ar ganol meddwl am y merched yn dangos eu fferau pan ges i bwniad yn fy ochr gan Lora. Aeth cynnwrf trwy'r capel, yn arbennig yr ochr lle roedd y merched yn eistedd. Bu'n rhaid i Mr Jones gael gafael ar y ffon sol-ffa a'i chwifio'n fygythiol cyn iddo fo lwyddo i dynnu ein sylw yn ôl at y darlun dirwest, ac oddi wrth y drws a'r bachgen ifanc pryd tywyll a safai yng nghefn y capel.

"Mae o yma!" sibrydodd Lora. Gwyliodd pawb wrth i Hywel symud yn araf i chwilio am le i eistedd.

"Mae'n ddrwg gen i darfu," meddai'n dawel ac eistedd y tu ôl i'r bechgyn eraill, fel petai o am wneud yn siŵr y medrai ddianc os byddai rhaid.

Fuodd yna fawr o siâp ar ddim wedi hynny. Roedd yr ymarfer sol-ffa yn fwy aflafar nag arfer, a'r bechgyn yn gwneud ati i fflatio ar bob nodyn, ac wyneb Mr Jones yn cochi fwyfwy. Wedi meddwl, erbyn y diwedd, roedd ei wyneb o'n ddigon tebyg i'r wyneb diafolaidd yng nghanol y mellt yn y darlun dirwest, a'i lygaid wedi mynd i wincio'n afreolus, fel y byddai'n digwydd bob amser cyn i'w dymer ffrwydro. Felly, ar ôl brysio trwy'r gras, rhuthrodd pawb allan i'r oerfel, a suddodd Mr Jones i heddwch y sêt fawr.

Roedd criw mawr wedi casglu o amgylch Hywel erbyn i ni'n dwy gyrraedd allan, felly arhosodd y ddwy ohonom yn swil wrth y giât. O un i un crwydrodd pawb am adra, a daeth Hywel i gydgerdded efo Lora a finna. Roeddwn i wedi addo danfon Lora adra yn gyntaf, ac wedyn mynd i chwilio am Ifan a oedd i fod i gadw cwmni i mi ar y ffordd adra i'r Ysgwrn. Ond doedd dim golwg o Ifan pan ddois i allan o'r capel. Roedd o wedi ffendio cariad, mae'n debyg, felly doeddwn i ddim i fod i fynd i chwilio amdano fo, dim ond aros ar waelod y stryd nes byddai o'n barod i ddod adra.

Cerddodd Hywel, Lora a finna mewn tawelwch am sbel, yr un ohonom yn gwybod beth i'w ddweud.

"Wyt ti'n licio dy le yn Fron Goch?" holais, er mwyn dweud rhywbeth.

"Dydw i ddim wedi dechrau gweini yno eto. Mae Modryb yn deud ei bod hi'n ddigon buan i mi ddechrau ar ôl i'r plwc oer yma fynd heibio," atebodd.

"Wyt ti'n licio dy le yn Traws, ta?" holais wedyn.

"Dwi'n cael lle da iawn yma…" meddai'n dawel. "Mae Modryb yn ffeind iawn efo fi, ond mi faswn i'n licio cael mynd adra hefyd, cofia."

"O?" Doeddwn i ddim yn siŵr beth i'w ddweud nesa, a doedd Lora ddim yn helpu rhyw lawer, roedd hi'n llusgo dod yn ara bach wrth fy ymyl.

"Adra?"

"Ia, yn ôl i Harlech."

"Dyna lle mae dy fam a dy dad, felly?" holais. Roeddwn i'n teimlo'n reit bowld yn ei holi fel hyn.

"Ia, yn Harlech mae 'nghartre i, ond dim ond Mam a 'mrawd bach sy adra rŵan."

Tawelodd Hywel, a gwyddwn rywsut na ddyliwn i holi 'chwaneg. Cerddodd y tri ohonom ar hyd y stryd at dŷ Lora, ein hesgidiau'n clecian ar y cerrig, a'n hanadl ni'n codi'n gymylau bach gwynion yn yr awyr rewllyd.

"Mynd yn was ffarm oeddet ti isio'i neud?" holais wedyn, achos doeddwn i ddim yn hoffi'r tawelwch.

"Dydi o ddim bwys gen i fynd yn was ffarm. Mae'n rhaid i mi wneud rhywbeth i drio helpu, mae'n debyg. Fedar Mam ddim fforddio 'nghadw i'n yr ysgol," meddai Hywel wedyn.

"Lle mae dy dad, felly?" Lora ofynnodd, fel yna, yn blwmp ac yn blaen. Dwn i ddim beth ddaeth drosti, ond un felly ydi Lora, dwi byth yn gwybod beth ddywedith hi nesa.

"Mae 'Nhad yn dal yn Ffrainc yn rhywle…" prin clywed ei eiriau wnes i.

"Yn Ffrainc?" Trodd Lora i wynebu Hywel. "Mae Tada newydd ddod adra o Ffrainc."

"Ydi o? O'r Somme?"

Arhosodd Hywel i edrych arni. Fedrwn i ddim dirnad yr olwg ar ei wyneb yn iawn. Roedd ei lygaid yn loyw, ond doedd dim cynhesrwydd yn ei lais o gwbwl pan ychwanegodd, "Mae o'n ddyn lwcus felly, yn tydi?"

"Dwi ddim yn siŵr," meddai Lora'n dawel. Gwyddwn fod ei gwefus isa ar fin dechrau crynu. "Ydi, neu o leia rydan ni'n lwcus ei gael o adra," ychwanegodd.

Edrychodd Hywel yn od arni, fel petai o eisiau dweud rhywbeth, ond ddywedodd o ddim. Roeddwn inna'n meddwl y dyliwn i ddweud rhywbeth, ceisio esbonio geiriau Lora, ella.

"Dydi Dewyrth Ifor, dydi o ddim… wel mae o wedi'i frifo, sti, wedi'i frifo yn go ddrwg…"

Nodiodd Hywel, a gwenu'n drist. Tyrchodd ei ddwylo yn ddyfnach i bocedi ei gôt fawr, tynnodd ei gap yn is i lawr dros ei lygaid, a suddodd ei ysgwyddau. Trodd, fel petai am gychwyn yn ei ôl i lawr i gyfeiriad y pentra, oddi wrthym. Yna edrychodd ar Lora.

"Mae'n ddrwg gen i am dy dad," meddai, "ond mi liciwn inna wybod, ti'n gweld. Mi liciwn i wybod lle mae 'Nhad. Dyna ydi'r gwaetha. Dydan ni ddim yn gwybod, does yna ddim cofnod ohono fo, dim telegram yn deud ei fod o wedi disgyn, dim nodyn ei fod o mewn rhyw ysbyty yn gorwedd yn rhywle, dim llythyr ganddo fo – dim byd."

Doedd yr un ohonon ni'n dwy yn gwybod beth i'w ddweud, felly wnaethon ni ddim byd ond syllu arno.

"Y cwbwl wyddon ni ydi iddo fo groesi'r weiran allan o'r ffos y bore hwnnw efo'i gatrawd yng Nghoedwig Mametz… a dyna fo. Mae chwe mis ers hynny, a dim ond gair ffwrdd â hi yn deud ei fod o ar goll..."

Dydi Ifan byth yn dod i'r golwg pan fydda i eisiau iddo fo ddod. Roeddwn i'n ysu am i 'mrawd mawr ddod heibio cornel y stryd i weiddi arna i i ddod yn fy mlaen am adra, ond doedd dim golwg ohono. Wyddwn i ddim beth i'w ddweud.

Nain Lora ddaeth i'r adwy. Roedd Jim bach efo hi, yn cydio'n dynn yn ei llaw ac yn llusgo'i draed.

"Lora, tyrd i nôl dy frawd," galwodd. Roedd yn amlwg ei bod yn trio cael Jim i fynd adra, a bod hwnnw'n strancio a thynnu'n groes.

Erbyn hynny, roedd Hywel wedi brysio oddi wrthym, ac wedi cyrraedd gwaelod yr allt.

Rhedodd Lora i gwfwr ei nain. Gwyliais hi'n cydio yn Jim bach a'i godi i'w breichiau, yn mwytho'i foch, yn tynnu coler ei gôt i fyny i arbed ei war rhag y rhewynt, ac yn sibrwd geiriau cysurlon yn ei glust. Rhuthrais ati i estyn am y fasged o law'r hen wraig.

"Dy fam sy'i isio fo adra, Lora," meddai Nain. "Dwi wedi trio'i chael hi i'w adael o yma efo fi am sbel, nes bydd petha'n well acw, ond dydi hi ddim am glywed dim am y peth. Adra mae o i fod, medda dy fam..."

Cydiodd Lora yn dynnach byth yn Jim bach.

"Mi fydd o'n iawn efo fi, Nain," meddai, ond dal i ysgwyd ei phen wnaeth yr hen wraig, a gallwn ei chlywed yn twt-twtian wrth iddi droi yn ei hôl am ei chartref ei hun.

Aethon ninnau'n tri yn ein blaenau am dŷ Lora. Dim ond Dodo Citi a oedd yn y gegin. Trodd a gwenu arnon ni a chymryd Jim o freichiau Lora. Eisteddodd yn ei hôl ar y gadair siglo, a chymerodd hi fawr o amser cyn bod Jim yn cysgu'n braf wedi'i lapio yng nghôl ei fam.

"Ble buoch chi mor hir?" holodd Dodo Citi.

"Cerdded adra efo'r bachgen sydd wedi dod i fyw at Modryb Jên wnaethon ni," meddai Lora.

"O?"

"Hywel Humphrey Jones, bachgen o Harlech ydi o," meddai Lora.

"Ie, mi wn i amdano fo," meddai Dodo Citi. "Druan â nhw."

Roedd fy sylw i wedi'i dynnu at ddrws y siambr, a oedd yn gilagored, a gallwn glywed Dewyrth Ifor yn symud yno tu ôl i'r drws.

"Roedd ei dad o yn y Somme hefyd, yn Mametz, fel Tada, ond dydyn nhw ddim wedi clywed gair…"

Caeodd drws y siambr yn sydyn. Trodd Dodo Citi i edrych i'r cyfeiriad hwnnw.

"Mae dy dad angen cysgu, Lora, a ninna'n fan hyn yn ei styrbio fo efo'n sgwrsio." Ond ei ddweud o'n glên wnaeth hi. Ffarweliais â nhw. Mi fyddai'n rhaid i mi gerdded am adra ar fy mhen fy hun.

9

Roedd Bob ac Ifan wedi cychwyn am y stesion o'i flaen. Cydiodd Mam yn Ellis a'i gofleidio, ond dal i eistedd yn y gadair freichiau wrth y tân wnaeth Tada. Roedd Maggie wrthi'n brysur yn ffysian efo'r pecyn bwyd roedd hi wedi'i baratoi i Ellis ar gyfer y daith ar y trên o Drawsfynydd i Lerpwl, ac yna ymlaen i'r camp yn Litherland. Clymodd y pecyn yn y papur llwyd, yna ei ailagor eto, i roi tamaid o'r gacen ferw ynddo. Ailglymodd y pecyn unwaith eto, gan gymryd gofal rhyfedd i glymu'r cortyn yn ofalus, ofalus. Fedrwn i ddim edrych ar ei hwyneb achos gwyddwn fod y dagrau'n dianc.

Gafaelodd Ellis yn Enid a finna, a'n gwasgu ato. Roedd brethyn ei gôt fawr yn gras ac yn crafu fy moch.

"Byddwch yn ferched da, a dal ati efo'r crafat yna, Enid. Gyrra fo i mi ar ôl i ti ei orffen, cofia. Mi fydda i ei angen yn y tywydd oer yma..." Yna trodd ata i a gwenu. "Cofia ditha am y sêr, Anni. Cofia be ddeudish i wrthat ti."

Trawodd ochr ei drwyn efo'i fys, fel 'tai'n dweud mae ein cyfrinach ni oedd hanes y sêr. Yna trodd ei gefn. Safodd wrth y gadair freichiau, cododd Tada a nodio arno, yna gafaelodd Ellis yn y llaw fawr, galed a'i gwasgu. Dwi'n meddwl fod Tada eisiau ei gofleidio fo hefyd ond wnaeth o ddim.

"Dal ati efo'r awdl, Ellis, dal ati. Mi fedrwn wneud efo cadair genedlaethol yma, cofia..." meddai Tada, ond mi fedrwn ddweud na fedrai ddweud mwy.

Doedd 'run ohonom yn cael mynd i'w ddanfon – dyna'r rheol – dim ond Bob ac Ifan i gario'i sach. Rhuthrais i fyny'r grisiau achos allwn i ddim dioddef ei weld yn mynd trwy'r drws.

Dim ond sbecian rhwng prennau'r grisiau, sbecian nes i mi weld ei draed yn diflannu i lawr y llwybr.

"Wyt ti'n meddwl y bydd ganddo amser i sgwennu aton ni, Anni?" Roedd Enid yn dal i igian crio wrth fy ymyl.

"Bydd siŵr, fydd o ddim yn treinio trwy'r amser, sti. Mi fydd ganddo fo'r min nosa i sgwennu, ac i gofio amdanon ni…"

"Wyt ti'n meddwl y bydd o'n cofio am fy mhen-blwydd i, Anni?" holodd wedyn. "Mae o wedi addo sgwennu penillion pen-blwydd i mi, a does yna ddim llawer o amser tan hynny rŵan, yn nag oes…?"

Edrychais arni. Roedd ei hwyneb bach main yn bwll o ddagrau. Cydiais yn Enid a'i gwasgu'n dynn. Roeddwn i wedi cael penillion pen-blwydd gan Ellis cyn y Nadolig, a gwyddwn ei fod wedi sgwennu rhai i Jini ei gariad, achos roedd Bob wedi dod o hyd i'r rheiny hefyd ac wedi bod yn eu hadrodd yn uchel a phawb yn cael môr o hwyl yn gwrando arnyn nhw. Heddiw, y nawfed ar hugain o Ionawr oedd hi, a doedd dim ond pedwar diwrnod cyn pen-blwydd Enid druan. Fyddai Ellis yn cofio am ben-blwydd ei chwaer fach yng nghanol yr holl bethau eraill a oedd yn siŵr o fod yn hedfan fel cysgodion duon, yn ôl a blaen, trwy ei feddyliau?

"Ty'd 'laen." Codais a thynnu Enid ar ei thraed. "Ty'd, awn ni i lawr i edrych am Lora… ac mae gen i rywbeth arbennig i ti ar dy ben-blwydd 'leni, gei di weld!"

Doedd gen i ddim byd, eto. Dechreuais feddwl yn wyllt beth fedrwn i ei roi i Enid ar ei phen-blwydd, rŵan 'mod i wedi dweud. Dyna fo eto, rhoi fy nhroed ynddi. Does gen i ddim ond pedwar diwrnod i ddod o hyd i rywbeth. Ella, os gofynnaf i'n ffeind i Maggie y gwnaiff hi fy helpu i wneud blodyn les neu rywbeth tebyg i Enid erbyn hynny.

"Ia, ty'd, mi awn ni i weld a fedrwn ni fynd â Jim bach am dro…"

Byddai hynny'n mynd â'i meddwl. Pan aethon ni'n dwy yn ôl i'r gegin, doedd dim golwg o Tada. Roedd o wedi mynd allan at ei waith, a gallwn glywed sŵn traed y gaseg ar y buarth, a llais tawel Tada yn ei dandwn a'i chysuro. Mi fydd y gaseg yn gweld eisiau Ellis hefyd, mae'n siŵr, achos mae gan Ellis ffordd dda efo ceffylau, ffordd arbennig o'u tawelu nhw.

Wrth y bwrdd roedd Mam, yn eistedd yn llonydd, a dim ond ei bysedd yn plycio'r lliain bwrdd, yn troi'r edefynnau ar ei ymyl yn ei bysedd, yn eu hesmwytháu wedyn. Cododd ei phen pan welodd Enid a finna, a gwenu.

"Rydan ni am fynd i lawr at Lora," meddaf i. Nodiodd.

Cododd Mam yn wyllt i estyn y fasged, yna tynnodd botyn o eli o gwpwrdd y ddresel a'i roi yn y fasged. Aeth trwodd i'r bwtri yn y cefn i nôl menyn a rhoi hwnnw yn y fasged hefyd.

"Dos â'r rheina efo chdi, Anni, a chofia fi at Dodo Citi…"

Gwyddwn fod y synfyfyrio drosodd, roedd yn rhaid dal ati. Gwyliais hi'n eistedd unwaith eto, i newid i'w sgidiau cryfion. Rŵan fod Ellis wedi mynd roedd mwy o waith i ni i gyd ei ysgwyddo, a doedd Mam ddim yn un i laesu dwylo.

"Peidiwch â bod yn hir yna, na wnewch?" meddai hi wedyn. "Mae angen carthu'r cut ieir rywbryd, cofiwch…"

Gafaelais yn y fasged mewn un llaw ac yn llaw Enid efo'r llall a'i heglu hi trwy'r drws. Mae'n gas gen i garthu dan yr ieir, mae'r chwain yn mynd i 'ngwallt i a'r ogla'n codi pwys, a dydw i ddim yn licio ieir, beth bynnag. Maen nhw'n greaduriaid mileinig, efo'r llygaid bach tywyll yna'n gwylio, a'r pigau yna'n barod i daro. Dwi'n cofio i mi weld brân unwaith, wedi brifo'i hadain, yn mynd yn sownd yn y cae bach lle mae'r ieir. Un aderyn dieithr yng nghanol byddin o ieir. Doedd y frân ddim yn perthyn. Fu'r ieir ddim yn hir efo'r frân – yn ei phigo a'i phluo'n fyw, nes nad oedd dim ar ôl ond corff gwaedlyd, llonydd wrth ymyl y cut ieir. Dydw i ddim yn licio brain chwaith, ond dwi'n cofio teimlo trueni dros y frân honno.

Roedd Jim bach yn eistedd ar stepan y drws yn chwarae efo'r rhaw dân pan gyrhaeddodd Enid a finna. Cododd a rhedodd i'r tŷ gan weiddi rhywbeth ar ei fam. Synau nad oedd yn gwneud fawr o synnwyr i mi oedd geiriau Jim bach, ond roedd Lora a Dodo Citi yn ei ddeall, mae'n rhaid, achos mi glywais Dodo Citi yn galw ar Lora ac yn dweud ein bod ni yno. Arhosodd Enid efo Jim bach, a gallwn ei chlywed, chwarae teg, yn helpu'r bychan i gasglu cerrig mân efo'r rhaw.

Daeth Lora allan o'r siambr. Roedd hi'n clirio llestri, a sylwais ar y ddesgil wen, y llwy a'r gwelltyn bach haearn. Syllais ar y gwelltyn.

"Mae Tada'n mendio, sti," meddai Lora a gwenu. "Dydi o ddim ond yn defnyddio'r gwelltyn weithiau rŵan, ond mae o'n yfed yn haws efo fo," meddai'n dawel. Dilynais hi i'r bwtri a'i helpu i olchi a chadw'r llestri. Gallwn glywed llais tawel Dodo Citi yn siarad â'r claf yr ochr arall i'r pared. Weithiau gallwn glywed ebychiadau bach o du Dewyrth Ifor hefyd, ond allwn i ddim eu gweithio'n eiriau. Rhyfedd, mae'n rhaid bod gan Dodo Citi ddawn arbennig, oherwydd roedd hi'n ateb y synau dieiriau, yn union fel roedd hi'n ei wneud efo Jim bach.

"Ydi dy dad wedi deud rhywbeth wrthat ti am be ddigwyddodd iddo fo yn y ffosydd?" holais. Doeddwn i ddim wedi meiddio gofyn o'r blaen, ond roedd yna ryw hen gnoi ynof i i gael gwybod. Dwi'n meddwl mai eisiau gwybod pa brofiadau fyddai Ellis yn eu hwynebu oeddwn i.

"Fedar o ddim deud llawer, Anni. Mae o'n ysgwyd ei ben, fel 'tai o'n methu cofio petha, ac mae o'n cael trafferth siarad, ei dafod o'n methu ffurfio'r geiriau'n iawn." Arhosodd Lora am funud, a gwyddwn fod ganddi rywbeth arall i'w ddweud, "Ond dwi wedi dod o hyd i hwn, edrych..."

Tynnodd Lora ddarnau o bapur o blygiadau ei ffedog. Gadawodd Lora ei gwaith, cydio yn fy mraich, ac aeth y ddwy ohonom i fyny'r grisiau'n ddistaw. Edrychodd ar y papurau am funud, fel 'tai hi ddim yn siŵr a ddylai eu dangos i mi. Eisteddodd ar y gwely,

"Paid â deud wrth neb, yn na wnei?" meddai, cyn estyn y papurau i mi. Dalennau wedi'u rhwygo o hen *exercise book* oedd ganddi, a llawysgrifen grynedig, digon blêr yr olwg yn eu llenwi.

Dechreuais ddarllen. Yna edrychais arni.

"Dwi'n meddwl mai trio esbonio i Mam roedd o, trio deud wrthi be ddigwyddodd, achos fedar o ddim deud, na fedar? Mi ddois i o hyd i'r papurau. Roedd Mam wedi'u rhoi i'w cadw yn y Beibl…"

10

F'annwyl Citi,

Y degfed o Orffennaf oedd hi, dwi'n cofio hynny; ein diwrnod ni yntê, Citi? Dyna sut rydw i'n cofio – y dyddiad y gwnest ti ddod yn wraig i mi ddeunaw mlynedd yn ôl. Dduw Mawr, fu yna ddau ddiwrnod mor annhebyg erioed?

Roedden ni wrth ymyl coedwig, mewn lle o'r enw Mametz oedden ni, wedi bod yn paratoi am yr ymosodiad ers dyddia. Roedd criw o'n catrawd ni wedi bod wrthi'n trio gwthio llinell yr Almaen yn ôl... yn mynd dros y top ac yn cael eu gwthio 'nôl pob gafael... y nwy yn dod amdanon ni fel gwynt drwg rhyw anifail rheibus. A'r gynnau mawr yn ein torri ni i lawr fel pladur mewn cae haidd. Roedd yr hogia wedi blino, ein dillad ni'n wlybion a'n traed ni'n gignoeth am ein bod wedi bod yn rhy hir mewn sgidia gwlyb a dim byd i'w wneud ond eu diodde nhw. Ac wedyn y chwain a'r llau. Roedd ein clustia ni'n ei chael hi, ac yn friwia i gyd gan frathiadau'r diawliaid bach.

Roedd yna ddau frawd efo fi – Iori Park Place, a'i frawd ieuengaf, Ted bach Park Place. Wyt ti'n eu cofio nhw, Citi? Roedd Gruff Wmffra efo fi, wrth gwrs. Byddai Gruff efo fi o hyd, ni'n dau. Roedden ni wedi gwylio cefnau'n gilydd sawl gwaith, ac wedi dod yn ffrindia mawr, Wn i ddim beth fyddai wedi digwydd i mi heb Gruff. Roedden ni'n dau yn treulio oriau yn sôn amdanoch chi adra. Mae ganddo fo fab sy'n sgolar, ac roedd Gruff bob amser yn gobeithio y medrai'r bachgen fynd yn ei flaen efo'i addysg...

Beth bynnag, 'nôl at Iori a Ted bach... Cyn i Iori fynd dros y weiren, roedd o wedi gofyn i Gruff a finna a fydden ni'n cadw golwg ar Ted bach, ac roedden ni wedi addo gwneud hynny wrth gwrs – roedd Iori'n gwybod, ti'n gweld, Citi, roedd o'n gwybod na fyddai o'n dod yn ei ôl. Roedden nhw i gyd yn gwybod, ac roedden nhw'n iawn hefyd. Aeth Iori dros y top efo'r criw cynta, ac mi gafodd ei daro yn ei gefn – *shell*, mae'n debyg, a dyna fo...

Bachgen ifanc ydi Ted, dim ond dwy ar bymtheg oed, dim ond dwy flynedd yn hŷn na Lora ni... Listio er mwyn cael tipyn o antur wnaeth o, y creadur bach, ond mi gafodd ddigon ar yr antur yn ddigon buan, yn socian ar waelod ffos a llygod mawr yn bygwth ei gnoi. Fel yna maen nhw yma Citi, y bechgyn ifanc wnaeth listio; listio er mwyn gweld y byd, er mwyn cael profiadau, er mwyn edrych fel dynion yng ngolwg eu cariadon. Ond druan â nhw, a druan â Ted, wydden nhw ddim mai pwll dyfnaf uffern oedd yn disgwyl amdanyn nhw. Mi fasa'n rheitiach iddyn nhw fod wedi derbyn y bluen wen...

Torrodd y wawr o'r diwadd, a ninna wedi bod yn effro'r rhan fwyaf o'r nos yn disgwyl yr alwad i fynd dros y weiren. Roedd Gruff a finna wedi smocio'n baco i gyd, ac wedi cael cyfle i sgwennu llythyr bob un... Gest ti'r llythyr hwnnw tybed, Citi? Gruff oedd yn fy nghadw i a Ted rhag mynd yn wallgo, yn adrodd straeon amdano fo'n sgota pylla glan môr a ballu... Rhywbeth rhag i Ted a finna fynd i feddwl gormod am beth oedd o'n blaena ni. Mi wawriodd, a'r dynion yn sgrialu bob yn un dros y top. Cerdded oedd yr ordors. Cerdded, nid rhedeg, cerdded yn syth at y gelyn a'u gynnau. Ein bwriad oedd croesi llain o dir – cae eang oedd o, heb gysgod o gwbwl

– ac ym mhen draw'r cae roedd y goedwig. Roedden ni wedi cael ordors i gymryd y goedwig, ond yn y fan honno roedd y Jeris yn swatio, yn aros amdanon ni. Roedden nhw yng nghysgod y coed, a ninna'n agored i bob dim y medren nhw daflu i'n cyfeiriad yng nghanol y 'tir neb'. Doedd ganddon ni ddim gobaith, dim siawns.

Roedd ein bechgyn ni wedi trio paratoi'r ffordd i ni ac wedi bod yn bombardio, yn tanio *shells* ac ati, ond doedd hynny wedi gwneud fawr o wahaniaeth, dim ond torri'r tir yn rhychau dyfnion. Pan ddaeth yr alwad, doedd Ted bach ddim am ddod, roedd o wedi swatio ar waelod y ffos yn ei gwman a'i ddwylo dros ei glustia, yn crio yn y fan honno. Mi weles fy siâr o ddynion yn crio. Dydi dagrau ddim yn arwydd o lwfrdra, dim ond dangos ein bod ni'n dal i fedru teimlo rhywbeth, ac mi roedd hynny'n beth da, o leiaf roedden ni'n dal yn fodau dynol ac nid yn beiriannau lladd yn unig. Pa ddewis oedd ganddon ni, Citi? Os nad wyt ti'n ufuddhau i ordors y swyddog yna mae hi'n ddrwg arnat ti. Mi fyddai'r creadur bach o flaen 'court marshall', ac mi gâi ei saethu fel bradwr wedyn. Dyna i ti ddewis. Felly, doedd dim byd amdani ond gafael yn Ted druan a'i dynnu o efo ni dros y weiren. Mi gydiais i yn un fraich a Gruff yn y llall, ac fe gawson ni Ted dros y top rywsut.

Mae'n ddrwg gen i, Citi, rydw i'n dy ddiflasu di...

Dwi ddim yn cofio beth ddigwyddodd wedyn yn glir, dim ond pytiau o bethau, darnau o atgofion, ac mae yna niwl yn mynd a dod, yn cuddio pethau cyn clirio eto. Y drwg ydi, Citi, fod y niwl yna'n clirio bob amser i ddangos y golygfeydd dwi angen eu hanghofio. A'r sŵn. Sŵn byddarol y gynnau mawr, y sgrechfyedd a griddfan y dynion, y swyddogion yn rhuo ordors, a gwich y *shells* yn disgyn o'n cwmpas. Ond mae yna un sŵn rydw i'n ei gofio'n glir, fedra i ddim deall pam. Sŵn un o'r ceffylau'n gweryru – sŵn llai na'r rhan fwyaf o synau mae'n debyg, ond mae o'n aros yn glir yn y cof. Sŵn y ceffyl yn disgyn wrth i ddarn o *shell* ei daro ac agor clwyf tywyll, hir ar draws ei ystlys, a'i ymysgaroedd yn dianc yn boeth ar y pridd du, a'r stêm yn codi i'r awyr... Sŵn y byd yn darfod oedd y sŵn yna. Sŵn y byd yn darfod am byth.

Wedyn dwi'n cofio wyneb Ted, yn wyn ac yn wlyb, y dagrau a'r chwys yn gymysg. Gweld ei wyneb a gweld ei gefn yn baglu mynd yn ei flaen yn ddall oddi wrtha i, ei reiffl o'i flaen. Roeddwn i'n gweiddi arno i aros, dwi'n cofio. Ond yna mi ddaeth sŵn chwisl erchyll o rywle a'r darnau o fetel yn bwrw i lawr arnon ni. Mi syrthiodd Gruff wrth fy nhraed, wedi'i daro yn ei ochr. Fedrai o ddim codi, roedd y lliw yn llifo o'i wyneb, dwi'n cofio.

Yn y tir roedd yna hafn heb fod ymhell, a llusgais Gruff i mewn i'r hafn, ac yntau'n griddfan a'r poer yn wyn ar ei wefus o. Roedd o'n colli gwaed, yn ddrwg, ond fedrwn i wneud dim, er bod ei lygaid yn ymbilio arnaf i wneud rhywbeth – ond fedrwn i ddim. Dim byd ond siarad, a dweud pethau dwl, fel y baswn i'n ei gael o adra, gaddo y baswn i'n ei gael o adra... Yna mi ddaeth wyneb Ted i'r golwg o rywle a ninnau'n tri'n swatio yn y fan honno, a'r gwallgofrwydd yn rhuo uwch ein pennau ni. Roedden ni'n mynd i farw yn y twll hwnnw, fedren ni ddim aros yno. Roedd yn rhaid i mi drio mynd â Gruff yn ôl i'r ffos er mwyn iddo fo gael sylw, neu mi fyddai'n rhy hwyr arno'n fuan, gan ei fod o'n colli gormod o waed.

Roedd yn rhaid i mi wneud penderfyniad - naill ai gadael Gruff yno a gobeithio y daethai rhai o fois y *stretchers* heibio, ond fyddai hynny ddim nes y byddai pethau'n tawelu, neu trio ei gael yn ei ôl. Doedd ganddon ni ddim amser i feddwl. Gafaelodd Ted o dan un ysgwydd, ac mi gymris inna'r ysgwydd arall. Roedden ni'n stryffaglio allan o'r hafn pan ddaeth y glec nesaf. Mi gawson ni ein codi oddi ar ein traed gan y ffrwydrad. Dwi'n cofio teimlo pwysau corff Gruff arna i. Roedd o'n drwm, ac yn llonydd. Mi wnes i'r penderfyniad anghywir, Cíti. Arnaf i oedd y bai, mi ddyliwn fod wedi'i adael o yno efo Ted yn gwylio drosto yn yr hafn honno. Dwi'n cofio'r glec wrth fy wyneb yn rhywle a chofio clywed yr ogla, ogla gwaed cynnes a phridd. Dwi'n cofio trio gwthio Gruff i un ochr i mi gael fy mreichiau'n rhydd. Roedd yna boen yn rhywle o amgylch fy mhen. Codais fy llaw i deimlo fy wyneb. Dwi'n cofio trio agor fy ngheg. Dyna pryd y gwnes i sylweddoli, Cíti, nad oedd fy ngên i yno, dim ond gwaed a chnawd meddal, llac.

Mi aeth hi'n ddu arna i wedyn, a dydw i'n cofio dim, Cíti annwyl, nes i mi ddeffro mewn cerbyd trên ar fy ffordd i'r ysbyty. Wedyn y ces i wybod mai Ted achubodd fi, Ted bach Park Place. Fo wnaeth fy ngharío drwy'r storm yn ôl i'r ffos ac at sylw'r meddygon. Ted oedd yr arwr y diwrnod hwnnw, ac iddo fo mae'r diolch fy mod i yma o gwbwl.

Ond dwn i ddim beth ddaeth o Gruff Wmffra. Mi addewais i y baswn i'n dod â fo adra, ond fedrais i ddim, ac mae o'n dal yno yn y baw yn Mametz, a finna wedi dod adra hebddo fo. Fedra i ddim madda i mi fy hun wsti, Cíti, a fedra i ddim peidio meddwl am ei fab o, a pha mor falch roedd Gruff ohono, a sut yr oedd o am iddo fo fynd yn ei flaen efo'i addysg am ei fod o'n gystal sgolor, ond rŵan...

A dyma fi, Citi, wedi dod yn fy ôl atat ti, yn ddim ond cysgod o'r dyn aeth i ffwrdd... Wyt ti'n meddwl y medri di fy nghymryd i'n ôl fel ag yr ydw i, ond os na fedri di, wel, dim ond i ti gofio fy mod i'n dy garu di, a'r plant.

Dy annwyl gymar,
Ifor

11

Rhoddais y dalennau i lawr ar y gwely wrth fy ymyl. Roedd cyfog yn codi i 'ngwddw i, roeddwn i angen awyr iach. Rhuthrais i lawr y grisiau, heibio i Jim ac Enid oedd yn dal wrth y drws yn chwarae efo'r rhaw dân, ac allan i'r stryd. Trawodd y gwynt oer fy ysgyfaint, rhuthrais rownd ymyl y tŷ i chwydu. Sefais yno, yn pwyso fy nhalcen yn erbyn y cerrig oer am funud, i drio sadio a dod ataf fy hun.

"Hwda." Lora oedd yno yn dal cwpan o ddŵr i mi. Cymerais lymaid o'r dŵr, roedd o'n oer braf.

"Ddyliwn i ddim fod wedi'i ddangos o i ti…" meddai. Yna, daeth Enid i'r golwg a Jim wrth ei chwt.

"Wyt ti'n iawn, Anni?" gofynnodd Enid, a'i llygaid yn fawr fel soseri.

"Ydw, dwi'n iawn, sti Enid, dwi'n iawn. Llyncu rhyw hen bry neu rywbeth wnes i." Gwenais yn wan arni. Roeddwn i eisiau mynd adra.

"Mae'n ddrwg gen i…" meddai Lora wedyn.

"Dwi'n iawn, Lora," atebais.

Roeddwn i'n teimlo fel taswn i wedi bod yn busnesu, wedi gweld rhywbeth na ddyliwn i fod wedi'i weld. Wedi edrych i mewn trwy ffenest rhywun wedi iddi nosi – edrych ar ddigwyddiad ym mywyd rhywun arall heb iddyn nhw fy ngweld yn syllu. Ac yna wedi gweld rhywbeth nad oeddwn i eisiau ei weld o gwbwl. Roeddwn i'n difaru darllen y dalennau. Fedrwn i ddim cael wyneb annwyl Ellis allan o fy meddwl, ond nid ei wyneb fel y gwelais i o'r bore yma, yn gwenu ac yn ffarwelio yng nghegin yr Ysgwrn. Roedd ei wyneb o rŵan yn mynnu dod i gymryd lle wyneb y milwyr yn y frwydr, fel yn llythyr Dewyrth Ifor.

"Ti'n dŵad 'ta?" Enid oedd yno'n tynnu yn fy mraich, a'i llaw arall yn gafael yn dynn yn llaw Jim.

"Anni, wyt ti'n dŵad efo ni?" meddai wedyn. "Mae Dodo Citi wedi gofyn i mi nôl burum iddi, wyt ti'n dŵad?"

Nodiais a gwenu, a chymryd llaw arall Jim bach. Roedd o wrth ei fodd yn codi ei draed ac yn crafu blaen ei sgidiau yn y cerrig, a ninna'n hanner ei gario fo rhyngddon, ac yn ei godi wedyn i roi swing iddo, a fynta'n gweiddi chwerthin. Mi faswn i'n licio bod fel Jim bach, yn medru gweiddi chwerthin fel'na, heb ddeall dim am y byd a'i bethau.

Canodd cloch y siop. Roedd Jim bach yn dal i chwerthin wrth i Enid a minna gamu i mewn i dywyllwch y siop fach. Roedd rhywun yno o flaen y cownter yn sgwrsio efo Mrs Lloyd. Craffais. Fedrwn i ddim methu'r siôl ffwr. Aeth cryndod i lawr fy nghefn wrth i lygaid bach duon y llwynog rythu i fyw fy llygaid inna.

Trodd Gwen Jones i edrych arnon ni, a gwyro'i phen. Edrychodd ar Jim bach a fedrwn i ddim dirnad yr olwg yn ei llygaid. Chwarddodd Jim bach wedyn wrth weld y jariau llawn pethau da yn rhesi lliwgar, a rhuthrodd draw at y cownter a rhoi gwên i Mrs Lloyd. Safodd Gwen Jones i'r naill ochr fel 'tai hi ofn iddo fynd ar ei thraws.

"Sut ydach chi'ch tri bach?" meddai Mrs Lloyd yn gynnes fel arfer. "Un o'r rhain, ia Jim?" meddai gan godi caead y jar licrish ac estyn un i Jim. Chwarddodd hwnnw a stwffio'r licrish i'w geg, nes roedd o'n glafoerio, a'r poer yn rhedeg i lawr ei ên.

"Nefoedd yr adar..." sniffiodd Gwen Jones, fel tasa'r olygfa yn codi pwys arni. Brysiais i sychu ceg Jim bach efo fy hances nes bod honno'n wlyb socian, ond doeddwn i ddim am i Gwen

Jones gael cyfle i ddweud wrth neb nad oedden ni'n gofalu amdano'n iawn.

"Felly," meddai Gwen Jones, a hanner gwên ar ei hwyneb, "ac mi aeth Ellis yr Ysgwrn bore 'ma glywis i?"

Trodd y llygaid llwynog hefyd i fy herio. Yna, daeth Mrs Lloyd rownd ymyl y cownter, a'i dwylo'n plycio ymyl ei ffedog yn bryderus.

"Ellis? Dydi Ellis druan 'rioed wedi gorfod mynd i ffwrdd?" holodd Mrs Lloyd. Mae'n amlwg nad oedd hi wedi clywed y newyddion. "Wel, dyna ni eto, be wnawn ni heb Ellis o gwmpas y lle yma, deudwch... pwy fydd yn arwain yn y cyngerdd wythnos nesa, felly? A be am ei waith barddoni fo... a'ch tad druan, fedar o wneud heb Ellis, deudwch?" holodd yr hen wraig, a golwg drist ar ei hwyneb.

"Mae'r hen ryfal 'ma'n dwyn ein pobol ifanc ni bob yn un..." meddai hi wrthi ei hun yn fwy na neb, a throi i roi'r jar licrish yn ei hôl gan ddwrdio ac ysgwyd ei phen yn ddigalon.

"Hy, mi fydd yn rhaid i Ellis yr Ysgwrn wneud fel y mae pawb arall wedi'i wneud ers blynyddoedd, yn bydd Mrs Lloyd? Ac mae yna betha pwysicach i'w gwneud na sgwennu rhigyma pan mae Lloyd George yn galw ar ein dynion i gwffio dros eu gwlad, mae hynny'n siŵr!" Trodd Gwen Jones, a'r llwynog am ei gwddw am y drws ac allan â nhw a'r gloch yn tincian yn flin.

Edrychodd Mrs Lloyd arnon ni, fel 'tai hi eisiau ymddiheuro am eiriau annifyr Gwen Jones. Gwthiodd yn ei hôl y tu ôl i'r cownter.

"Be fedra i nôl i chi, blantos?" meddai wedyn.

"Mae Dodo Citi eisiau owns o furum, os gwelwch yn dda, Mrs Lloyd," meddai Enid, a gwasgodd yr hen wraig trwy'r hollt yn y llenni yng nghefn y siop. Edrychais o fy nghwmpas ar y nwyddau, y jariau da-da a'r pecynnau, a chofiais eto am benblwydd Enid, ac am fy addewid gwirion. Dyna pryd y sylwais ar y bag bach melfed ar ymyl y cowntar. Roedd Enid a Jim yn dal i sbio ar gynnwys y jariau, yn rhythu ac yn canu wrth eu cyfrif. Heb feddwl, cydiais yn y bag bach melfed a'i stwffio i boced fy ffedog o dan fy nghôt. Roedd fy nghalon yn curo fel gordd a gallwn deimlo fy mochau'n poethi. Roeddwn i'n difaru'n syth ac eisiau ei roi o yn ei ôl, ond yr eiliad honno daeth pen Mrs Lloyd o'r tu ôl i'r llenni, a'i gwên yn llenwi'r ystafell. Estynnodd y pecyn bach burum i Enid.

"Wel, cofiwch fi at eich Mam, wnewch chi ferched? Mi ddof i fyny i'w gweld yn fuan…" meddai wedyn wrth ffarwelio. Trodd y tri ohonom i adael a sgrechiodd cloch y drws yn ddig. Roedd y bag bach melfed yn teimlo fel colsyn poeth yn llosgi trwy gotwm fy ffedog a thrwy frethyn fy ffrog gan ysu'r croen.

Gallwn weld Lora ar dop yr allt. Roedd hi wedi meddwl dod i'n cwfwr, mae'n debyg. Gwelais hi'n aros ac yn troi i wynebu'r stryd gefn. Roedd hi'n aros am rywun. Daeth person arall i'r golwg, â'i gefn aton ni, ond mi fedrwn weld mai Hywel oedd o. Gwyliais y ddau. Roedd Lora'n chwerthin a Hywel yn dal i siarad ac yn chwifio'i ddwylo, fel 'tai o'n trio esbonio rhywbeth iddi. Roedd hithau'n ysgwyd ei phen a gallwn weld oddi wrth ei hosgo ei bod yn mwynhau'r sylw.

Roedd Jim wedi stopio cerdded gan fod rhywbeth wedi tynnu ei sylw yn y gwrych. Tynnodd ym mraich Enid a finna fel ein bod ninnau'n mynd i chwilio yng nghanol y drain. Chwarddodd Jim wrth weld robin goch yn neidio tuag ato. Erbyn i mi edrych yn fy ôl i fyny'r allt gwelwn fod Hywel yn estyn rhywbeth i Lora. Gwyliais hi'n codi ei llaw i'w dderbyn, ac yn rhoi'r tro bach hwnnw yn ei phen, fel y bydd hi pan fydd hi wedi'i phlesio, cyn rhoi beth bynnag a gawsai yn ei phoced.

Yna gwelodd ni'n nesáu, a dywedodd rhywbeth yn frysiog wrth Hywel. Edrychodd hwnnw i lawr i'n cyfeiriad a cherdded allan o'n golwg i lawr y stryd arall. Daeth Lora i'n cwfwr. Roedd yna wrid ar ei hwyneb a golwg wedi'i phlesio arni ac er 'mod i eisiau ei holi'n dwll, fedrwn i ddim.

"Hywel oedd efo ti?" meddwn.

"Ia," meddai hitha, a rhoi rhyw wên fach ymddiheurol i mi. Rhoddodd ei llaw ym mhoced ei chôt a gwenu.

Roedd beth bynnag a roddodd Hywel iddi yn amlwg wedi'i phlesio. Dyna pryd y cofiais am gynnwys poced fy ffedog inna, a suddodd fy nghalon. A dyna hefyd pryd y daeth Wil Ffurat heibio'r gornel.

"Ellis chi wedi mynd bore 'ma ar y trên cynta, yn do...?" meddai. "Yn syth ar ei ben i Ffrainc geith o'i yrru, medda 'Nhad... maen nhw'n ennill tir yn fan'no ac isio rhoi un pwsh iawn yno rŵan. Felly, i Ffrainc geith o fynd i ti, Anni..."

Wnes i ddim aros i feddwl. Sut y gwyddai Wil Ffurat beth oedd yn wynebu Ellis? Roedd fy ngwaed i'n berwi. Trois i wynebu'r snichyn a rhoi gwthiad iddo fo yng nghanol ei frest. Methodd gadw ei falans a syrthiodd yn ei ôl, ar ei din i ganol y ffos fach lle roedd Jac Lloyd newydd ollwng carthion ei stablau ynddi. Eisteddodd Wil Ffurat yno'n bytheirio yng nghanol y gwlybaniaeth, yn wellt a baw drosto. Cydiodd Lora yn Jim, a thynnais inna yn llaw Enid, a'i heglu hi cyn i'r snichyn gael cyfle i godi.

12

Edrychais ar y bag bach melfed. Roeddwn wedi'i dynnu allan o'm cuddfan o dan y fatres. Gorweddai ar y gwely. Roedd o'n glws, yn bwythau bach mân i gyd wedi'i frodio dros y melfed porffor. Ond roedd yn gas gen i edrych arno.

Roedd Maggie wedi fy helpu i wneud blodyn les i Enid yn anrheg pen-blwydd yn y diwedd ac roedd llythyr wedi cyrraedd y bore hwnnw o Litherland efo rhigwm iddi gan Ellis. Roedd hi wedi'i phlesio ac roedd Mam wedi gwneud crempog hefyd i ddathlu, ond fedrwn i ddim ond bwyta un. Roedd gwybod bod y bag melfed yna o dan y fatres yn pwyso arna i.

Roedd hynny wythnosau yn ôl bellach, a doedd pethau'n gwella dim ar fy hwyliau, er bod llythyrau'n dod yn gyson gan Ellis yn canmol ei le yn y gwersyll ac yn llawn straeon am weld hwn a'r llall.

Mae rhywbeth wedi digwydd rhwng Lora a minna hefyd, ond fedra i ddim dweud yn iawn beth sydd wedi digwydd chwaith. Dydi hi ddim 'run fath rywsut. Dydi hi ddim yn dweud pethau wrtha i fel y byddai hi. Dydan ni ddim yn cael yr un hwyl. Rydw i'n gwybod ei bod hi'n brysur yn helpu ei mam, a tydi hi ddim wedi bod yn dod i'r ysgol ers i'w thad gyrraedd adra. Mae hi'n chwith arna i yn yr ysgol hebddi. Dwi'n gorfod gwneud efo'r rhai iau o hyd, neu Wil Ffurat, achos dim ond y fo sydd ar ôl yno rŵan yr un oed â mi. Mae pawb arall wedi gadael i fynd i weini, neu i helpu adra. Rydw inna eisiau gadael ond mae Mam yn mynnu 'mod i'n aros yno achos dydw i ddim yn bedair ar ddeg eto.

Mi es i heibio Lora ar fy ffordd adra o'r ysgol echdoe gan

feddwl y bydda hi'n dod am dro efo mi, neu y bydden ni'n medru sleifio i'r llofft i gael sgwrs, ond doedd ganddi ddim amser, meddai hi. Mi es i am adra wedyn, ond cyn mynd o olwg y tŷ mi welais Lora'n dod allan, wedi gwisgo'i chôt. Roeddwn i'n meddwl mai dod ar fy ôl i roedd hi, ond troi'r ffordd arall wnaeth hi. Arhosais am funud i'w gwylio. Roedd rhywun arall yn dod i'w chwfwr, ond doedd dim rhaid i mi graffu'n galed, roeddwn i'n gwybod mai Hywel oedd o.

Mae yna rywbeth yn corddi y tu mewn i mi pan dwi'n meddwl am hynny. Roeddwn inna'n licio Hywel, a fi fu'n siarad fwyaf efo fo pan ddaeth aton ni o'r Band of Hope. Ella mai dim ond digwydd bod ar y stryd roedd o echdoe ac mai mynd ar neges roedd Lora go iawn, a'i bod yn dweud y gwir wrtha i. Ond roedd yr amheuon yn mynnu gwthio i flaen fy meddwl i o hyd – *'petai a phetasa' – y ddau air casa…'*

Edrychais ar y bag bach melfed eto, a dyna pryd y daeth y syniad i 'mhen. Wrth gwrs! Pam na faswn i wedi meddwl am hynny ynghynt? Dyna pryd y gwelais i Lora a Hywel yn siarad â'i gilydd gyntaf, wedi i mi ddwyn y bag melfed o'r siop. Edrychais arno'n gorwedd ar y gwely, roedd y pwythau bach cywrain yn ffurfio siâp llygaid, siâp llygaid yn fy ngwylio, yn gwenu arna i'n ddieflig. Dyna beth oedd wedi digwydd, siŵr. Fy nghosb i oedd hyn. Yn union fel roedd yn rhaid i mi godi cerrig rhag ofn i rywbeth ddigwydd, felly hefyd roedd pethau'n mynd yn chwith oherwydd i mi ddwyn y bag. Os oedd hynny'n wir, beth arall fedrai fynd o'i le? Dechreuodd fy meddwl rasio'n wyllt. Roedd Maggie wedi mynd i fyny am Ben-stryd, er fedrwn i ddim meddwl am ddim byd peryglus yn hynny, a Bob ac Ifan efo'r ceffylau yn llusgo coed o'r ffridd… peth petai'r ceffylau'n rhusio? Na, doedd hynny ddim yn debygol o ddigwydd. Roedd Ifan a Bob wedi hen arfer ac roedd y ceffylau'n dawel.

Yna, daeth Ellis i fy meddwl. Wrth gwrs, yn y gwersyll yn Litherland yn treinio i fod yn filwr, onid oedd y lle'n llawn o ynnau a ffrwydron? Gallwn deimlo fy ngwaed yn fferru. Cydiais yn y bag melfed a'i lapio mewn papur fel na welwn y llygaid yn edrych arna i. Gwthiais o i mewn i 'mhoced. Roedd yn rhaid i mi ei ddychwelyd i'r siop, lle roedd o'n perthyn. Mi fedrwn ei sleifio fo i mewn yno rywsut.

Dwi'n meddwl i mi redeg y rhan fwyaf o'r ffordd i'r siop a phan gyrhaeddais i yno roeddwn i'n chwys domen ac yn cwffio i gael fy ngwynt. Roedd fy ngwallt wedi dianc o dan fy nghap ac wedi'i chwipio i bob man gan y gwynt. Teimlais fy mochau. Roedden nhw ar dân. Roedd hi'n dechrau nosi, a gwyddwn y byddai'n rhaid i mi frysio ond arhosais am funud i wneud yn siŵr nad oedd neb yn y siop. Ceisiais dacluso peth arnaf i fy hun, yna'n ara deg agorais y drws, gan obeithio y medrwn i sleifio i mewn heb i'r gloch ganu. Llithrais i mewn i'r tywyllwch. Roedd y siop yn wag. Gallwn roi'r bag yn ei ôl ar ymyl y cownter a sleifio allan – fyddai neb ddim callach. Ceisiais dawelu sŵn fy anadlu wrth i mi estyn am y pecyn o du mewn i 'mhoced. Tynnais y parsel yn frysiog, a thynnu'r papur amdano. Estynnais y bag i'w roi yn ei ôl ar ymyl y cownter, pan glywais y gloch yn rhoi sgrech. Trois yn fy unfan i weld Gwen Jones yn rhythu arna i o'r drws. Gallwn glywed Mrs Lloyd yn symud o'r tu ôl i'r llenni, a gwyddwn fy mod wedi cael fy nal.

"Be sy gen ti yn fan'na, Anni?" gofynnodd Gwen Jones, a llithrodd fel sarff tuag ataf i gael edrych ar y bag yn fy llaw.

"Gwaith brodio da ar hwnna. Nid ti wnaeth o, erioed? Be oeddet ti am ei wneud efo fo, Anni? Dy bwrs di ydi o?" Gallwn glywed yr amheuaeth yn ei llais. Mi wyddai yn iawn nad fy mhwrs i oedd o. O ble y byddwn i wedi cael gafael ar drysor mor gywrain? Fu plant yr Ysgwrn erioed yn ddigon ffodus i fod yn berchen ar drysorau o'r fath.

Daeth Mrs Lloyd at ymyl y cownter, edrychodd arna i a'r pwrs melfed yn fy llaw, yna edrychodd ar Gwen Jones a'i llygaid cyhuddgar.

Prin y gallwn feiddio edrych ar yr hen wraig. Roeddwn i eisiau crio. Gallwn deimlo'r dagrau'n cronni, ac wyddwn i ddim beth i'w ddweud. Roedd fy ngwddw'n sych grimp a phob gair yn diflannu fel roedden nhw'n dod i'm meddwl. Lleidr oeddwn i. Beth fyddai pawb yn ei ddweud? Fyddai mab Mrs Lloyd yn fy hebrwng adra er mwyn cael dweud wrthyn nhw yn yr Ysgwrn mai lleidr oedd eu merch? Dychmygwn weld Mam a Tada'n eistedd wrth y bwrdd yn edrych arna i, a siom yn llenwi eu llygaid.

Yna, cododd Mrs Lloyd y pwrs yn ara deg ac edrych arno.

"Wel, ti sydd pia fo, Anni Evans?" arthiodd Gwen Jones. "Ble cest ti afael ar beth fel yna? Mi gostiodd geiniog a dima i ti'n ddigon siŵr... neu wedi'i gymryd o oeddet ti? Be oeddet ti'n ei wneud yn trio ei guddio fo y tu ôl i dy gefn fel yna?"

Roedd ei llygaid yn chwilio fy wyneb poeth, yn fy herio, yn mynnu fy mod i'n ateb.

"Y... ia... na..." Roeddwn i wedi dychryn am fy mywyd. Oedd yna garchar ar gyfer merched fy oed i?

"Diolch i ti, Anni, am ddod â fo i mi. Wnei di ddeud fy mod i'n diolch i Maggie hefyd...?" meddai Mrs Lloyd.

Codais fy mhen yn sydyn i edrych yn syn ar ei hwyneb. Beth oedd hi'n ei feddwl? Yna, deallais wrth weld y wên dawel yn ei llygaid. Roedd hi am gadw fy nghefn.

"Tyrd trwodd i'r cefn am funud i gael dy wynt atat..." meddai, a symud i wneud lle i mi fynd heibio iddi a thrwy'r llenni i'r cefn. "Maggie oedd wedi cael gafael arno i mi pan fu hi'n Lerpwl ddiwetha... Rŵan 'ta, be fedra i estyn i chi, Gwen Jones?"

Roeddwn i'n dal i grynu pan ddaeth Mrs Lloyd trwodd ataf fi i'r gegin o'r siop. Roedd sŵn cloch y drws yn arwydd fod Gwen Jones wedi gadael.

"Wyt ti'n iawn, Anni?" meddai'r hen wraig a gofyn i mi eistedd.

"Mae'n ddrwg gen i, Mrs Lloyd..." ond fedrais i ddim dweud rhagor cyn i'r dagrau ddechrau fy mygu. Eisteddais yno'n nadu fel Jim bach. Roedd gen i'r fath gywilydd. Ond wnaeth Mrs Lloyd ddim byd ond aros i mi ddod ataf fy hun. Yna, fel ynfytyn, dechreuais ddweud popeth wrthi. Soniais am ben-blwydd Enid a 'mod i wedi addo rhoi anrheg iddi am fod Ellis wedi mynd; am y pwythau aur a'r llygaid dieflig yn fy nilyn; am Lora oedd yn ffrind gorau i mi ond nad oedd yn ffrind gorau i mi mwyach, ac am Hywel... Soniais wrthi am godi'r cerrig gwynion rhag ofn i rywbeth ofnadwy ddigwydd, a 'mod yn ofni fod yna felltith ar y pwrs...

"... a rŵan, mi fydd Mam a Tada mor siomedig efo fi..."

Eisteddodd Mrs Lloyd gyferbyn â mi wrth y tân. Wedi i mi orffen, edrychodd arna i'n syn, ac estyn hances i mi. Yna, edrychodd yn ddifrifol arna i.

"Rŵan 'ta, Anni. Rwyt ti'n gwybod dy fod ti wedi gwneud rhywbeth na ddylet ti, a dwi'n meddwl dy fod ti wedi dychryn digon heb i mi ddeud mwy am y peth..."

"Mae'n ddrwg gen i..."

"... ond rhagluniaeth fydd yn penderfynu beth fydd yn digwydd i bob un ohonon ni, wyddost ti, os ydan ni'n byw neu'n marw, os byddwn ni'n dlawd neu'n gyfoethog... a dydi rhagluniaeth ddim yn dibynnu ar betha fel codi cerrig gwynion oddi ar y llawr, neu eu gadael nhw i fod lle maen nhw. Mae yna betha fydd yn ein hwynebu ni yn yr hen fyd yma na fedrwn

ni wneud dim yn eu cylch… dyna i ti beth ydi rhagluniaeth."
Edrychodd yr hen wraig arna i a gwenu cyn mynd yn ei blaen.
"Ond Anni, mae yna betha eraill rydan ni'n eu dewis, cofia –
bod yn ffeind neu'n flin, yn ffyddlon neu'n anffyddlon. Dewis
ydi hynny. Bod yn eirwir neu'n anonest. Mi ddewisaist ti'n
anghywir wrth gymryd y pwrs. Ond dewis ei gymryd o wnest
ti'r un fath. Dy gydwybod di oedd yn dy bigo di, Anni. Does yna
ddim y fath beth â melltith ar ddim byd, siŵr. Coel gwrach ydi
hynny." Arhosodd eto, roedd ei hwyneb yn ddwys am funud,
yna meddai, "Ond mi wnest ti ddewis arall hefyd Anni, yn do?
Mi ddoist ti â fo yn ei ôl i mi… ti a ddewisodd wneud hynny
am ba bynnag reswm… ti a ŵyr hynny, ond mi ddoist ti â fo yn
ei ôl."

Cododd yr hen wraig a rhoi ei llaw ar fy ysgwydd.

"Cofia di hynny, Anni. Fedrwn ni wneud dim am rai petha,
ond am y petha eraill, tria ddewis yn ddoeth. Mi fyddi di'n methu
ambell waith, fel efo'r pwrs, ond wyddost ti be? Dwi'n dy nabod
di a dy dylwyth yn dda. Fyddi di ddim yn methu'n aml, mi wn
i hynny."

Codais a gwenu arni,

"Ydach chi'n meddwl?" gofynnais.

"Ydw, neno'r tad. Rŵan, sycha'r dagra yna a tyrd, mae'n
mynd yn hwyr…"

Dilynais hi drwodd i'r siop a gadawodd le i mi fynd heibio
iddi tu ôl i'r cownter. Yna, estynnodd am y jar da-da, a thynnu
tamaid mawr o licrish a'i roi i mi.

"Diolch, Mrs Lloyd… diolch am bopeth."

"Anni," galwodd ar fy ôl, "fedri di fynd ar neges fach i mi?"

"Medraf siŵr, Mrs Lloyd."

"Sbario peth ar fy nhraed i, wel'di. Ei di â hwn i fyny i Dodo
Citi i mi?"

Cymerais y pecyn a ffarwelio â'r hen wraig. Roedd hi'n pigo

bwrw pan es i allan – hen smwclaw annifyr – a'r nos wedi cau am y pentra, ond doedd dim bwys gen i am hynny. Am y tro cyntaf ers dyddiau roedd y pwysau wedi codi oddi ar fy nghalon.

13

Lora ddaeth at y drws. Gwnaeth le i mi fynd i mewn i'r gegin gynnes braf lle roedd Dodo Citi wrth y bwrdd yn torri bara. Roedd drws y siambr ar agor, ond sylwais fod Jim bach fel arfer yn cadw cyn belled ac y gallai oddi wrth y drws. Neidiodd pan welodd fi a chydio yn fy sgert a'm tynnu at y bwrdd.

"Na, fedra i ddim aros, sti," meddwn.

"Anni, sut wyt ti ers talwm? Dydan ni ddim wedi dy weld ers sbel. Ydi pawb yn iawn acw?" Roedd Dodo Citi wrthi'n gwneud lle i mi wrth y bwrdd.

"Ydyn, diolch, Dodo Citi. Na, peidiwch â styrbio, dydw i ddim yn aros, wir…" meddwn wedyn, "dim ond dod â hwn i chi gan Mrs Lloyd."

Estynnais y pecyn iddi ac edrychodd Dodo Citi yn rhyfedd, fel 'tai hi ddim yn disgwyl pecyn.

"Gan Mrs Lloyd?"

"Ia." Edrychais ar Lora a gwenu. Gwenodd Lora yn ôl arna i.

"Gymri di frechdan?" a rhoddodd Dodo Citi frechdan yn fy llaw. "Ty'd, mae yna driog yn fan'na yli…"

Aeth Dodo Citi â phlatiad o frechdanau drwodd i'r siambr. Clywais hi'n dweud fy enw, a chlywais ebychiadau Dewyrth Ifor.

"Ifor yn gofyn sut mae Ellis yn Lerpwl. Ydi o'n cael dod adra ar *leave* yn fuan, wyddost ti, Anni? Mi fydd angen aredig cyn bo hir, ac mae bechgyn ffermydd yn cael dod adra i helpu fel arfer, sti…"

"Dwn i ddim, Dodo Citi. Chlywais i ddim…"

"Maen nhw angen pawb i aredig, sti," meddai wedyn.

"Mae Ellis yn dda iawn, diolch. Mae o'n cwyno fod y camp yn oer, ac yn rhoi ordors i ni weu menig neu rywbeth o hyd…" chwarddais. "Mae Mam yn deud mae'n rhaid ei fod o'n eu cnoi nhw, ond dwi'n meddwl ei fod o'n eu rhannu nhw efo'r lleill!"

Chwarddodd Dodo Citi a daeth Lora i eistedd ar y stôl fach wrth fy ymyl.

"Hen le oer ydi Litherland, meddan nhw, a'r gwynt yn troelli i fyny dros yr afon Mersi yna…" meddai, a throi ati i dorri 'chwaneg o fara.

"Sut mae'r ysgol?" holodd Lora. Roedd hi'n edrych arna i fel 'tai hi'n swil, fel tasan ni ddim yn nabod ein gilydd tu chwith allan. Yna, rhoddodd bwniad bach i mi a gwneud arwydd am y drws allan. Gorffennais fy mrechdan driog yn sydyn, a chodi.

"Gwell i mi fynd am adra, Dodo Citi."

"Dyna ti, Anni, cofia fi at dy fam, ac os clywch chi rywbeth am Elsyn, cofia ddod i ddeud. Mi fasa Ifor wrth ei fodd yn ei weld, cofia."

Ffarweliais â Jim bach ac arhosais i Lora roi ei chôt amdani.

"I ble'r ei di, Lora?" trodd ei mam ati'n syn.

"Dwi am fynd i ddanfon Anni at y bont."

Edrychodd Dodo Citi arni am funud cyn dweud dim.

"Dyna ti, ond paid â stelcian, cofia," meddai'n siarp.

Aeth y ddwy ohonom allan i'r stryd. Roedd y glaw wedi peidio a dim ond y niwl yn cau fel planced o'm hamgylch bellach.

Ddywedodd yr un ohonon ni ddim gair am sbel, dim ond cerdded i lawr trwy'r pentra a sŵn ein traed ni'n cael ei fygu gan y niwl.

"Ydi popeth yn iawn, ydi…?" holais. "Wyt ti'n licio bod adra, Lora?"

"Ydw'n iawn, sti, er dwi'n colli cael bod efo chdi yn 'rysgol hefyd. Colli'r hwyl, sti, ond mae popeth yn iawn," meddai, er ei bod hi'n dal i swnio'n bell rywsut, ddim fel yr hen Lora Margaret.

"Ydi dy dad yn mendio? Sut mae Jim efo fo erbyn hyn?" Dim ond gofyn cwestiynau, nid sgwrsio fel y bydden ni'n arfer gwneud. Fyddai dim yn rhaid i mi holi unrhyw gwestiwn i Lora ers talwm achos mi fyddwn i'n gwybod yr ateb.

"Mae 'Nhad yn mendio'n ara bach, ond dydi Jim ddim am fynd yn agos ato byth. Mae o'n cuddio pan ddaw 'Nhad allan o'r siambr… mae hynny'n anodd. Mae o'n gwneud pawb yn drist ac mi wylltiodd Mam efo fo ddoe, a deud ei fod o'n hogyn drwg a'i yrru i'w wely…"

"Dy fam yn gwylltio?"

Doeddwn i'n adnabod neb efo amynedd fel Dodo Citi. Fyddai hi byth yn dwrdio, byth yn colli ei thymer nac yn codi ei llais.

"Ia, ond fedrodd Mam ddim ei adael o yno. Fuodd Jim ddim yn ei wely 'run funud, gan i Mam fynd i'w nôl o a rhoi mwytha mawr iddo fo. 'Nhad aeth yn ei ôl i'r siambr yn y diwedd."

Gwenodd Lora'n drist ac es ati i gydio yn ei braich.

"Ond dwi isio deud rhywbeth arall wrthat ti hefyd, Anni," meddai. Tynhaodd ei gafael yn fy mraich. "Ond mae'n rhaid i ti addo na ddywedi di ddim byd wrth neb." Trodd i fy wynebu. "Wyt ti'n addo?"

Edrychais ar ei hwyneb. Roedd hi'n edrych yn ddifrifol iawn. Rhoddodd fy stumog dro. Beth oedd y gyfrinach? Oedd Lora'n iawn, neu oedd hi'n sâl?

"Wrth gwrs 'mod i'n addo," atebais. "Fi ydi dy ffrind gora di'n 'de, Lora?"

"Ia."

"Wel?" Gallwn weld fod Lora'n petruso, yna gwenodd.

"Dwi a Hywel, wel, rydan ni'n mynd i briodi, sti!"

"Be?"

Chwarddodd Lora wrth weld yr olwg hurt ar fy wyneb.

Teimlais y gwrid yn codi. Beth oedd hi'n ei feddwl? Priodi Hywel? Ond doedd hynny ddim yn gwneud unrhyw synnwyr – dim ond ychydig dros flwyddyn yn hŷn na mi ydi hi. Fydd hi ddim yn bymtheg tan yr ha' ac yn llawer rhy ifanc i briodi. P'run bynnag, newydd ddod i nabod Hywel oedd hi, a finna o ran hynny.

"Fedri di ddim!" gwaeddais arni, a throi i edrych i fyw ei llygaid. "Fedri di ddim *priodi*, siŵr!"

"Pam?"

"Achos, wel… achos, be am dy fam?"

Wyddwn i ddim beth i'w ddweud ond roedd Lora'n dal i edrych arna i'n benderfynol.

"Pam na fedrith Hywel a finna briodi? Ddim rŵan, dwi'n gwybod hynny, ond unwaith y bydda i'n un ar bymtheg, ac mi fydd o wedi bod yn was ffarm am dros flwyddyn erbyn hynny, yn bydd? Ac mae gen i bum punt wyddost ti? Ges i bres ar ôl Taid Minffordd a dwi wedi clywed fod yna le i forwyn yn Rhiwgoch. Mi fydd yn rhaid i mi fynd i holi…" Cydiodd yn fy nwylo i wedyn a'm tynnu'n nes ati. Roedd ei llygaid yn fawr ac yn llawn cyffro. "Ond dydi Mam ddim yn gwybod, fedra i ddim deud wrthi rŵan, yn na fedra? A wnei di ddim deud dim, yn na wnei, Anni?"

"Na wnaf, siŵr," a medrwn i ddim bod yn flin efo hi wedyn rywsut. "Ond be am deulu Hywel? Roeddwn i'n meddwl ei fod o'n gorfod mynd i weini i helpu ei fam, a'i frawd bach?"

"Ia, wel, dydi o ddim wedi sôn wrthi hitha eto chwaith. Dydi o ddim wedi bod adra ers Dolig, sti. Mae hi'n anodd yno, ac yn drist. Dydi Hywel ddim eisiau mynd adra, achos mae bod yng nghwmni ei fam yn ei ffwndro fo. Mae hi'n dal i feddwl fod ei gŵr hi'n fyw, sti, am na wnaethon nhw ddod o hyd i gorff. Mae hi'n dal i obeithio y daw o adra… Mae mam

Hywel yn meddwl ella ei fod o ar goll yn Ffrainc yn rhywle ac wedi colli ei gof. Wyt ti'n meddwl fod hynny'n bosib, Anni?"

"Dwn i ddim, sti."

Ond chefais i ddim dweud mwy achos roedd rhywrai yn rhuthro i fyny'r stryd tuag aton ni. Roedd dau berson yn nesáu'n siapiau llwyd trwy'r niwl, eu pennau i lawr yn sgwrsio'n brysur. Bu bron i'r ddau daro yn ein herbyn cyn iddyn nhw sylweddoli ein bod ni yno.

"Addo na wnei di ddim deud wrth neb, Anni," meddai Lora'n frysiog.

"Anni!" gwaeddodd y person cyntaf. Hywel ac Ifan, fy mrawd, oedd yno ac roedd llais Ifan yn ysgafn. Roedd o'n chwerthin a dechreuodd redeg. Cydiodd yn fy mraich a 'nhynnu.

"Aw, paid!" Roeddwn i'n gwichian ac Ifan yn chwerthin. Beth ddaeth drosto? Fel arfer, dydi o ddim eisiau cymryd arno ei fod yn fy adnabod i o gwbwl, y cythral iddo fo.

"Anni, ty'd, ty'd, mae Elsyn wedi cyrraedd adra!"

"Be?"

"Ydi! Mae o wedi cyrraedd ar y trên chwech rŵan o'r stesion, ty'd."

"Ond…"

"Mae o ar *leave*, ty'd…"

Chwarddais a dechrau rhedeg ar ôl Ifan tuag at waelod y stryd, yna cofiais am Lora. Edrychais yn fy ôl a galw arni. Roedd Hywel a hithau'n dal i sefyll lle gadawson ni nhw, yn edrych arnon ni'n mynd ac yn chwerthin.

"Lora, paid â phoeni!" gwaeddais arni. "Dwi'n addo…"

14

Dwn i ddim i ble'r aeth yr wythnosau diwetha, mae hi wedi bod fel dyddiau Nadolig yma, a phawb wedi cynhyrfu'n lân fod Ellis wedi cael dod adra am sbel. Roedd Dodo Citi yn llygad ei lle. Câi'r milwyr oedd yn feibion ffermydd eu rhyddhau er mwyn helpu efo'r aredig. Mae popeth wedi newid yma rywsut – mae cryd cymala Tada wedi llacio, a dydw i ddim yn cofio i Mam fod â chystal hwyl arni ers misoedd. Mae Enid a finna'n cael sbario mynd i'r ysgol gan fod angen gwneud bwyd i'r dynion. Dwi yn fy ngwaith yn nôl dŵr, yn pobi neu'n corddi o hyd. Mae hyd yn oed y tywydd wedi gwella; mae yna wawr goch trwy'r bwlch am y môr, ac mae Enid a finna'n cael bod allan yn hwyr bob nos. Mi ges i fynd i ddanfon Ellis i lawr at yr odyn neithiwr; fan honno mae hwyl i'w gael, yn y fan honno mae o a'i ffrindiau yn trafod y byd a'i bethau ac yn mwydro am ryw englynion o hyd. Mi arhosais i'r tu allan am funud, yn lle rhuthro am adra. Roedd clywed yr hwyl a chwerthin Elsyn yn gwneud i mi deimlo fel hedfan yr holl ffordd yn ôl i'r Ysgwrn. Mae popeth gymaint gwell pan mae o adra.

Mae Jini Owen wedi bod yn galw heibio yn bur aml hefyd – daeth i fyny am de yr wythnos diwetha. Mae Jini'n plesio Mam, mae'n rhaid, achos mi fuon ni wrthi am y rhan fwya o'r dydd yn paratoi'r te. Roedd hi fel tasa un o'r byddigions yn dod heibio, neu un o'r beirdd mawr mae Elsyn yn eu hadnabod. Ond mae Jini'n ffeind, ac yn glws, a dwi'n credu bod Ellis mewn cariad o ddifri, achos mi aeth y ddau allan am dro ar y ffridd wedyn ac mi roddodd Ellis dusw o friallu iddi i fynd adra efo hi. Diolch i'r nefoedd na wnaeth Bob weld hynny neu fasa dim diwedd ar ei dynnu coes. Mi fuodd Ellis allan am oriau wedyn, yn danfon Jini adra, ond roedd pawb wedi hen fynd i'w gwlâu cyn y daeth o'n ei ôl, mae'n rhaid, achos chlywodd neb mohono'n dychwelyd. Yn y bore, fan'no roedd o wrth y bwrdd yn sgwennu eto.

Mi ddois i o hyd i gopi o un o'i gerddi o dan y bwrdd. Wedi disgyn roedd hi, mae'n debyg, wrth i Maggie neu yntau frysio i glirio'r papurau. Eisteddais i lawr ar y stôl fach wrth y tân i'w darllen. Darllenais y geiriau ar dop y ddalen – *Gwenfron a Mi*. Stori ar ffurf cerdd oedd hi, neu felly y gwnes i ei deall hi, beth bynnag. Stori am ddau gariad a sut y byddai eu bywydau ynghlwm wrth ei gilydd, yn canlyn, yn priodi ac yn heneiddio efo'i gilydd:

Mae Gwenfron a minnau yn hen erbyn hyn,
A'r hwyr ar ein pennau fel eira gwyn, gwyn;
Mae'n llygaid yn llwydo fel dydd yn pellhau,
A nerth ein gewynnau o hyd yn gwanhau;
Ond, wele, mae'n cariad o hyd yn cryfhau.
I'r tiroedd di-henaint sy draw tros y lli
Rhyw symud yn dawel wna Gwenfron a mi.

Wnes i ddim deall y gerdd yn syth, ond ar ôl meddwl tipyn, mi sylweddolais mai dyna oedd breuddwyd Ellis – cyfarfod rhywun, Jini ella, syrthio mewn cariad a chael cyfle i fyw, magu teulu, barddoni tipyn, a chael heneiddio gyda'i gilydd yn y diwedd. Ydi hynny'n ormod i'w ddisgwyl? Dim ond bywyd felly mae Ellis ni ei eisiau. Dyna mae Tada a Mam wedi'i gael, a diolch byth fod Dewyrth Ifor wedi cael dod yn ôl at Dodo Citi, iddyn nhw gael heneiddio efo'i gilydd hefyd. A dyna pryd y gwnes i feddwl am hogia ifanc Traws nad oedd yn cael gwneud hynny, y rhai hynny oedd yn gorwedd yn y pridd yn Fflandrys, a'u gwragedd nhw adra yn fan hyn yn heneiddio ar eu pennau eu hunain bach, a dim ond atgofion yn gwmni.

Roeddwn i eisiau dangos y gerdd i Lora, achos dyna oedd breuddwyd Lora hefyd, a dyna pryd y gwnes i sylweddoli nad oeddwn i'n flin efo hi mwyach am ddweud ei bod hi am briodi Hywel. Dyna sy'n digwydd pan fyddwch chi'n caru rhywun, mae'n debyg.

Adra i helpu efo troi'r tir y mae Ellis *i fod.* Mae angen mwy o geirch a thatws a phob dim ar gyfer y wlad, meddan nhw, felly mae gwaith aredig a phlannu o'n blaenau ni. Mae pawb wrthi, wel pawb ond Ellis, wrth gwrs. Yn y tŷ mae Elsyn, wrth y bwrdd yn sgwennu o hyd. Mae o'n ceisio'i orau i orffen yr awdl ar gyfer yr Eisteddfod, cyn i'w *leave* ddod i ben. Tada sydd yn ei ben o fwyaf eisiau iddo ei gorffen, a Jini hefyd. Mae'r ddau'n mynnu ei fod o'n ei gorffen hi. Dwi'n meddwl bod barddoni yn fwy o waith o lawer nag aredig, achos mae ôl straen mawr ar wyneb Ellis, ac mae o'n bygwth rhoi'r gorau iddi o hyd. Ond mae Tada'n dal i'w atgoffa iddo ddod yn ail y llynedd, yn Eisteddfod Aberystwyth, ac mae o'n tynnu coes, ac yn dweud ein bod ni angen cadair newydd gan fod y gadair freichiau wrth y tân yn dyllau pryf i gyd!

Felly, yn y parlwr yn sgwennu y bydd Ellis, heblaw pan ddaw Jini i fyny am dro, fel heddiw.

Mae heddiw'n drysor o ddiwrnod, y gwanwyn ar ei orau. Mae'r gog wedi cyrraedd Cwm Prysor, a'r gwenoliaid yn y beudy isaf yn gwibio i mewn ac allan i ddangos eu hunain. Mae'r briallu'n ymddangos ar hyd y cloddiau, fel tasa yna ryw hen ddewin wedi colli sypiau o aur yma ac acw o'i sach, ar ei ffordd draw am Domen y Mur. I fyny tua'r ffridd mae'r ŵyn yn prifio, yn rasio a neidio a'r ddaear yn glasu bob dydd. Does yna unman arall y byddwn i'n dymuno bod ar ddiwrnod fel hyn. Does yna unman harddach na'r Ysgwrn yn y gwanwyn.

Daeth Jini i fyny bore yma. Mae'n rhaid bod Ellis yn ei disgwyl achos doedd o ddim wedi estyn ei bapurau allan ar y bwrdd yn y parlwr bach, ac mi welwn fod Mam wedi paratoi pecyn o fwyd i'r ddau.

"I ble'r ewch chi?" holodd Mam.

Edrychodd y ddau ar ei gilydd ac roedd gwrid ar wyneb Jini. Syllais arni a gallwn weld pam roedd Ellis wedi syrthio amdani. Mae hi'n ferch ifanc, hardd, ei chroen yn llyfn a'i llygaid yn loyw, ei gwallt tywyll yn gwthio'n gudynnau bach ysgafn dan ei het, a'i gwên barod yn goleuo'i hwyneb i gyd, nes iddi wneud i bawb fod eisiau gwenu efo hi. Un felly ydi Jini Owen.

"I ble'r awn i?" holodd Ellis, wrth afael am ei gôt fach.

"Mi ddilynwn ni'n trwyna…" meddai Jini'n ysgafn. Gafaelodd yn y fasged a diolch i Mam am y bwyd.

"Awn ni cyn belled â Thomen y Mur?" holodd Ellis wedyn. Liciwn i fod wedi cael mynd efo nhw. Mae'r ddau mor hapus, mor llawn bywyd, a phan mae Jini yma mae Ellis fel 'tai o'n anghofio am ei farddoni, am y rhyfel a phopeth arall.

"Ellis, ga i ddod?" meddwn, cyn gweld y rhybudd yn llygaid Mam. Trodd Ellis a chwerthin.

"Na, chei di ddim dod efo ni heddiw, Ann," meddai Ellis. "Dwi wedi addo, pan ddo' i adra, ar ôl i'r hen ryfel 'ma ddod i ben, mi awn ni ar y trên i'r Bermo i ddathlu. Mi fydda i wedi cynilo'n barod i fynd â ti ac Enid, a Mam a Maggie, os leiciwch chi." Yna, trodd at Jini, "Ddoi di efo ni hefyd, Jini? Mi fedrwn fynd i roi'n traed yn y môr!"

Chwarddodd y ddau ac i ffwrdd â nhw. Rhedais allan i'w gwylio nhw'n mynd – Ellis yn cymryd y fasged a Jini'n troi ato i ddweud rhywbeth doniol a'r ddau'n taflu eu pennau i'r awyr ac yn chwerthin yn braf. Dau gariad yn mynd am dro, a'r haul yn gwenu.

Dyddiau hapus yn yr Ysgwrn oedd y dyddiau hynny.

15

"Dydw i ddim yn deall y peth o gwbwl, ac mae Mam yn gwrthod trafod, na rhoi'r rheswm pam…"

Roedd llygaid Lora'n goch, a'i thrwyn hi'n gochach fyth, ac roedd hi wrthi'n ei rwbio'n ffyrnig efo'i hances ac yn sniffian yn uchel. Roeddwn i eisiau ei hatgoffa i beidio â rhwbio cymaint ar ei thrwyn, rhag ofn iddo aros yn goch am byth. Dydi trwyn coch yn ychwanegu dim at harddwch neb, rydw i wedi dweud hynny wrth Lora o'r blaen. Ond diolch byth, mi ges i'r gras i gau 'ngheg. Doeddwn i ddim yn meddwl ei bod hi eisiau clywed hynny heddiw, oherwydd mae'n debyg y bydd Lora'n gorfod chwilio am rywun arall i'w phriodi hi rŵan. Dydi Hywel ddim yn plesio Dodo Citi am ryw reswm. Dydi hynny ddim yn gwneud unrhyw synnwyr chwaith, oherwydd fu Dodo Citi erioed yn un i gymryd yn erbyn neb.

"Ond be ddeudodd dy fam, Lora?" Ceisiais ei chael i bwyllo, ac i esbonio'n iawn, oherwydd doedd ei geiriau'n gwneud dim synnwyr.

"Deud na ddyliwn i weld Hywel eto… a… deud…" Ond dechreuodd y dagrau ailffurfio, a'r igian a'r rhwbio trwyn, "a deud… a deud, na ddyliwn i sôn rhagor amdano fo, am fod clywed ei enw fo'n styrbio 'Nhad, ac yn ei yrru fo i'r pwll du yna sy'n dod drosto fo weithia…"

"Ond, pam?" Ceisiais inna ddeall meddwl Dodo Citi.

"Dwn i ddim, Ann. Dydi Hywel ddim wedi gwneud dim o'i le, na finna, a dwi'n methu deall pam mae siarad am Hywel yn styrbio cymaint ar Tada…"

"Ydi Dewyrth Ifor yn gwybod bod Hywel wedi colli ei dad?" Ceisiais ddatod peth ar y clymau cymhleth. Mae'n rhaid bod yna reswm pam mae sôn am Hywel yn poeni Dewyrth Ifor. Wrth gwrs fod yna reswm.

"Ydi, mae o'n gwybod fod tad Hywel ar goll, ac mi faswn i wedi disgwyl y byddai Tada wedi cydymdeimlo efo fo, ac am roi croeso iddo acw, ond cheith Hywel ddim dod yn agos. Mae Tada yn gwrthod iddo fo ddod i'r tŷ." Dechreuodd yr hances rwbio eto, "A rŵan dydw i ddim yn cael mynd yn agos ato fo, na hyd yn oed sôn amdano fo…"

Gafaelais yn dynn yn Lora a'i siglo fel y bydda i'n siglo Jim bach weithiau wedi iddo fo ddisgyn a sgriffio'i bennau-gliniau. Yn raddol, fe giliodd y dagrau a sythodd Lora ei hysgwyddau. Roedd ei cheg yn un llinell syth ac roedd golwg benderfynol yn ei llygaid. Esmwythodd ei gwallt efo'i dwylo a chwythu ei thrwyn yn swnllyd.

"Ydi 'nhrwyn i'n goch, Anni?" gofynnodd. Roedd rhyw wylltineb yn ei hystum.

"Nachdi, siŵr," atebais, ond dwi'n siŵr ei bod yn gwybod 'mod i'n dweud celwydd.

"Wel, dwi ddim am wrando ar Mam, dwi wedi penderfynu," meddai'n bendant.

"Be wyt ti am 'i wneud?"

Roeddwn i'n teimlo'n anesmwyth, achos dwi'n adnabod Lora'n dda, ac os ydi Lora wedi penderfynu gwneud rhywbeth, mae'n anodd iawn troi ei thrwyn hi'r ffordd arall.

"Dwi ddim am wrando ar Mam, beth bynnag, achos mae Hywel a finna'n caru ein gilydd. Mae o eisoes wedi colli ei dad a dydw i ddim am droi 'nghefn arno fo, Anni…"

"Nag wyt…" Dydw i ddim yn siŵr os mai mynegi 'nag wyt' fel ateb pendant wnes i neu ddweud 'nag wyt?' fel cwestiwn. Ond wnaeth hynny fawr o wahaniaeth oherwydd os oedd Lora wedi dweud ei bod hi am ddal i gysylltu efo Hywel, dyna'n union fyddai hi'n ei wneud.

"Wnei di fy helpu i, Ann?"

Trodd ataf fi, a gallwn weld yn syth fod gan Lora gynllun. Tynnodd lythyr allan o boced ei chôt, edrychodd arno, yna rhoddodd yr amlen wrth ei gwefus a'i chusanu, cyn ei rhoi i mi.

"A wnei di'n siŵr fod Hywel yn ei gael o, Anni?" meddai, a gwenu wrth roi'r llythyr yn fy llaw.

Beth ddylwn i ei wneud? Mae gen i feddwl y byd o Dodo Citi a Dewyrth Ifor. Maen nhw'n bobl dda, ffeind a doeth. Wrth gymryd y llythyr a mynd â fo at Hywel mi fyddwn i'n mynd yn groes i'w dymuniadau nhw. Ond Lora oedd fy ffrind gorau ac roedd Hywel a hithau mewn cariad, mi wyddwn i hynny achos roedd y ddau byth a hefyd efo'i gilydd, a Lora'n gwneud dim byd ond sôn am sut y byddai pethau wedi iddyn nhw briodi.

A dweud y gwir, roeddwn i wedi cael digon ar gynlluniau Lora, a'i sôn byth a hefyd am y bywyd cyffrous roedd hi am ei gael efo Hywel. Dim ond gwas fferm oedd o wedi'r cwbl, a hithau wedi meddwl priodi mab Lloyd George. Roeddwn i'n difaru i mi erioed gyfarfod â Hywel. Fyddai pethau byth yr un fath rhyngof i a Lora eto, ac ar Hywel roedd y bai am hynny. Yna, daeth y syniad i'm meddwl. Roedd hwn yn gyfle i mi gael Lora yn ôl, yn ffrind gorau go iawn, heb Hywel wrth ei chwt. Mi fyddai Hywel yn iawn, unwaith y byddai'n dechrau gweini yn Fron Goch. Fydden ni ddim yn ei weld o wedyn, ac mi fyddai'n anghofio am Lora yn ddigon buan, mae'n debyg.

Cydiais yn dynn yn y llythyr a'i roi yn fy mhoced.

"Ei di â'r llythyr iddo fo, yn gwnei, achos dwi wedi deud wrtho fo sut rydw i'n teimlo... Plis paid ag anghofio Anni, neu mi fydd Hywel yn meddwl 'mod i wedi troi 'nghefn arno. Wneith Mam ddim gadael i mi agor y drws os ydi hi'n meddwl mai fo sy yno."

"Na, wna i ddim anghofio," sibrydais.

Gwenodd Lora arna i a gwasgu fy llaw.

"Diolch, Anni," meddai wedyn cyn troi'n sydyn a dringo'r clawdd i'r ochr arall. Dringais inna i ben y clawdd i'w gweld hi'n mynd. Doedd hi ddim yn rhedeg fel y byddai hi'n arfer ei wneud, dim ond mynd yn ara bach, a'i hysgwyddau i lawr a'i phen yn isel. Gwyddwn nad oedd hi eisiau cyrraedd adra.

Neidiais i lawr oddi ar y gamfa. Roedd rhyw hen gnoi yn fy mol inna hefyd. Rhoddais fy llaw yn fy mhoced a thynnu'r llythyr allan. Syllais arno. Roedd y papur yn denau a cheisiais fy ngorau i weld a allwn ddirnad rhai o'r geiriau, ond fedrwn i ddim. Erbyn hynny roeddwn i wedi cyrraedd y bont. Arhosais am funud ac edrych i lawr i'r dŵr tywyll. Gwibiodd deilen fach heibio, yn dawnsio symud dros wyneb y dŵr. Cafodd ei dal am funud yng ngafael carreg, ond daeth ton ysgafn arall heibio a'i chipio'n rhydd a'i chymell wedyn i wibio yn ei blaen. Daliais y llythyr dros y canllaw. Fyddai'r dŵr ddim yn hir yn ei gipio, fel y ddeilen. Câi ei gario efo'r llif gwyllt i lawr heibio'r cerrig ac i ffwrdd yn bell, bell, a geiriau Lora'n diflannu efo'r diferion.

"Mae gen ti ddewis, Anni…" Dyna roedd Mrs Lloyd wedi'i ddweud y noson honno yn y siop. "Mae gen ti ddewis, Anni!" sibrydais. Roedd gen i ddewis ac roedd Lora'n ffrind a doedd Hywel ddim yn haeddu ei cholli hithau fel y collodd ei dad.

Gwthiais y llythyr yn ei ôl i mewn i 'mhoced.

Rhedais i lawr yr allt a churo'n wyllt ar y drws. Daeth Hywel i'w agor.

"Llythyr i ti gan Lora." Gwthiais y llythyr i'w law, cyn troi fy nghefn arno a rhedeg yr holl ffordd adra.

16

Mi wyddai pob un ohonom y byddai'r dyddiau braf yn dod i ben ac y byddai'r cyfnodau *leave* yn darfod. Roedd y cyfnod diwetha o *leave* wedi bod yn annisgwyl; rhodd fechan i ni fel teulu oedd yr ychydig ddyddiau a gawsai Ellis adra, a'r haf yn ifanc a hardd. Roedd y camp yn Litherland wedi gwneud ei waith, daeth yr hyfforddiant i ben ac roedd Ellis yn filwr. Ond am y cyfnod byr hwnnw, yn ystod y dyddiau hir, heulog, ffermwr oedd Ellis, a chribin, nid gwn oedd yn ei law. Ac yn ystod y nosweithiau cynnes, clòs hynny, ac adlewyrchiad y lleuad yn belen ddisglair ar byllau afon Prysor, a'r sêr yn loywon uwch y Migneint, bardd oedd Ellis, a geiriau oedd ei arfau.

Ond fe wydden ni na allen ni gadw Ellis adra am byth. Daeth Jini i fyny y noson cyn iddo adael. Roedd hi'n un o'r nosweithiau rheiny pan oedd lliwiau'r wlad o'n cwmpas yn gymysgfa o borffor ac aur, a'r awyr yn las a digwmwl, fel mantell sidan. Doedd yna'r un awel i greu cynnwrf rhwng y berllan, a'r byd yn llonydd ac yn ddisgwylgar.

Roeddwn i'n eistedd ar sil ffenest agored y landin pan ddaeth Ellis a Jini allan i ben y drws.

"Mi ddof i dy ddanfon di," meddai Ellis, a safodd i'r naill ochr er mwyn i Jini gael mynd heibio iddo trwy'r glwyd.

"Na, aros," meddai hithau, a gwyliais hi'n troi i'w wynebu. "Na, Ellis. Mae gen ti ddigon i'w wneud heno. Mi fedra i groesi'r afon yn iawn fy hun, ac mi fydda i mewn pryd i ddal y trên olaf."

Fedrwn i ddim clywed ateb Ellis, felly pwysais allan fymryn

i gael golwg arno. Roedd o'n sefyll â'i gefn yn erbyn y wal fach, ei ben yn isel, fel tasa fo'n meddwl yn ddwys am rywbeth.

"Sgwenna pan gyrhaeddi di Litherland," meddai Jini. "Ella, ella, y cewch chi rai wythnosau eto yno, sti…"

"Na…" Prin clywed llais Ellis roeddwn i. "Na, mae'n bryd i ninna fynd yn ein blaena rŵan, Jini, waeth i ni wynebu hynny bellach. Mi fyddwn ni'n croesi am Ffrainc wythnos nesa, gei di weld."

Fedrwn i ddim edrych ar wyneb Jini. Roedd hi, fel finna, yn chwilio am ryw ffordd arall – rhyw achubiaeth i Ellis – ond doedd yna'r un ffordd arall i'w chymryd.

"Mi sgwenna i i ddeud be fydd yn digwydd, ond rhaid i ti wynebu mai mynd fydd raid i mi…" Yna, gwenodd Ellis a chydio yn ei dwy law a'u cusanu. "Ond pan ddof yn fy ôl, Jini Owen, mi fyddi di yma'n aros amdanaf i, yn byddi?" Ei herio hi oedd o ond er ei fod yn ceisio'i orau i roi'r ysgafnder hwnnw yn ei lais, dim ond tristwch oedd yno.

"A phan ddaw hi'n ddiwedd yr ha', mi awn ni'n dau am y Steddfod i Birkenhead i nôl y gadair adra i'r Ysgwrn," meddai Ellis wedyn.

"Awn, ond cofia di yrru'r awdl mewn da bryd, neu ddaw yna'r un gadair yn agos i'r Ysgwrn. Cofia, Ellis, paid â rhoi'r gora iddi, dal ati…" Roedd y ddau yn ceisio creu rhyw ysgafnder yn eu lleisiau, yn ceisio cipio cyfle i osgoi'r ffarwelio.

Safai'r ddau yno'n cydio dwylo, yn glòs, heb weld dim o'r byd o'u hamgylch, dau gariad yn ysu am gael bod gyda'i gilydd, fel pob dau gariad arall. Doedd ganddyn nhw ddim dewis ond gwahanu. Arhosodd y ddau felly am ychydig, yn cydio dwylo, yna cododd Jini ei dwy law am wyneb Ellis a'i gusanu.

"Mi fydda i yma yn aros amdanat ti, Ellis," sibrydodd. "Mi fydda i'n aros, ac yn gweddïo y cei di ddod yn dy ôl ataf fi, dwi'n addo…"

Fedrwn i ddim gwylio rhagor. Faint mwy o wahanu sydd raid? Es i i guddio o dan ddillad y gwely, hyd nes y gwaeddodd Mam arna i i ddod i nôl fy swper.

17

"Ann." Roedd y llais yn dod o gyfeiriad yr afon.

"Ann, aros amdana i." Wil Ffurat oedd yno, yn cyflymu tuag ata i. Roeddwn i ar fy ffordd i siop Mrs Lloyd i nôl burum. Rhoddais fy mhen i lawr a rhuthro yn fy mlaen heb gymryd arnaf 'mod i wedi'i weld o gwbwl.

"Aros, Anni!" gwaeddodd wedyn, a bu raid i mi aros gan fod ambell un arall wedi aros i edrych beth oedd achos y gweiddi. Gwyliais Wil yn rhuthro ar draws y cae a thros y gamfa a'i wynt yn ei ddwrn.

"Wyt ti'n mynd i'r pentra?" gofynnodd.

Wrth gwrs 'mod i'n mynd i'r pentra, i ble arall faswn i'n mynd?

"Ydw," atebais yn swta.

"A finna," meddai, gan ymladd i gael ei wynt. "Ydach chi wedi clywed rhywbeth gan Ellis?" holodd wedyn.

"Do."

"O?"

Dim byd. Doeddwn i ddim eisiau dweud dim arall wrtho.

"Ydi o yn… iawn, ydi Anni?"

Arhosais am funud. Roedd rhywbeth yn wahanol yn y ffordd roedd Wil yn holi heddiw. Edrychais arno ac roedd ei wyneb yn wahanol rywsut, yn fwy difrifol.

"Lle mae Ellis rŵan felly, Anni? Ydi o'n dal yn y camp yn Lerpwl?" gofynnodd ac edrych arna i â'i ben ar un ochr.

"Nac ydi."

"O."

Cerddodd y ddau ohonom yn ein blaenau heb siarad wedyn. Roeddwn i'n dal i ddisgwyl y cwestiwn nesaf ond ddaeth yna 'run. Oedd, roedd rhywbeth yn wahanol am Wil heddiw. Arhosodd am funud i edrych draw i gyfeiriad y pladurwyr oedd yn lladd gwair ar y ddôl. Roedd machlud coch y dyddiau diwetha yn argoeli fod y tywydd braf am aros, a phawb wrthi'n trio cael y gwair i mewn. Roeddwn i'n siŵr y byddai gan Wil rywbeth i'w ddweud am un o'r gweithwyr. Fel arfer mi fyddai ar dân am gael dweud rhyw ffaith am rywun. Ond ddywedodd o'r un gair, dim ond troi yn ei ôl i'r ffordd a cherdded yn ei flaen. Roedd y tawelwch yn gwneud i mi deimlo'n anesmwyth braidd.

"Yn Ffrainc mae Ellis, mewn rhyw le efo enw tebyg i Ro-wen," meddwn. Cododd Wil ei ben ac aros yno ar ganol y ffordd ond wnaeth o ddim holi chwaith, dim ond aros yno yn edrych arna i â'i ben ar un ochr.

"Rhyw le o'r enw Ro, Ro, ia Rouen, dwi'n meddwl…"

"O, ia, mae fanno'n bell o'r cwffio, sti. Dwi'n meddwl, beth bynnag," meddai. "Mi fydd o'n iawn felly, sti… ella na fydd yn rhaid iddo fo fynd i'r ffosydd o gwbwl."

Gwenodd Wil arna i a nodiais yn ôl arno. Dwi'n meddwl mai trio 'nghysuro i oedd o, ond roeddwn i'n gwybod nad oedd gan Wil Ffurat yr un syniad lle roedd Rouen, mwy nag yr oedd gen i. Mi allai Ellis fod ar y lleuad am a wydden ni'n dau.

"Ella," meddwn inna, ond doeddwn i ddim yn codi 'ngobeithion.

Roedden ni'n cael llythyrau'n aml gan Ellis. Roedd o wedi hwylio o Southampton efo'i gatrawd ac wedi glanio mewn lle o'r enw Le Havre yn Ffrainc, ac wedyn aethon nhw ymlaen i'r gwersyll yn Rouen. Doedden ni ddim yn cael llawer o hanes y gwersyll na dim, ond roedd Ellis yn un da am ddisgrifio'r wlad. Dwi'n meddwl bod Ffrainc yn wlad braf iawn ac roedd Ellis yn dweud y bydden ni'n gwirioni ar harddwch y lle – y coed tal yn llawn o ddail ysgafn. Ond yn ei lythyrau roedd o'n sôn ei fod yn gorwedd yn ei babell gyda'r nos ac yn clywed sŵn y gynnau o bell, yn tanio fel cewri mawr yn ochneidio. Dydw i ddim yn meddwl yr af i byth i Ffrainc.

"Mae hi'n ofnadwy o boeth yno, sti," meddwn.

"Ydi Ellis yn licio tywydd poeth?" gofynnodd Wil wedyn.

"Ydi, am wn i. Dydi o ddim yn cwyno am y gwres, dim ond deud wrth Enid a minna am stopio gweu dillad cynnes iddo fo roedd o," chwarddais. Roedd Ellis wedi gwneud llun yn ei lythyr diwetha – llun blêr o filwr bach fel dyn coesau matsis, yn gwisgo menig a sanau mawr gwlân a diferion o chwys yn tasgu oddi arno.

"Wyt ti'n gwybod sut beth ydi casyn *shell*?" gofynnais, ond ysgwyd ei ben wnaeth Wil.

Roedd Ellis yn dweud ei fod o wedi gweld hen ddarn o *shell* wedi'i droi'n botyn i ddal blodau yng ngardd rhywun wrth iddyn nhw fartsio heibio ar y ffordd. Roedd Mam wedi chwerthin a dweud mai dim ond Ellis fyddai wedi sylwi ar y ffasiwn beth ac wedi gweld rhyw neges o obaith yn yr hen *shell* a'r blodau'n tyfu ynddo.

Cerddodd y ddau ohonom linc-di-lonc yn ein blaenau wedyn am y pentra. Roedd rhywbeth wedi newid am Wil, roedd hynny'n sicr. Roedd o wedi mynd i weithio efo cariwr, sef un o'r dynion oedd yn cario nwyddau o gwmpas yr ardal. Roedd o hefyd wedi gadael yr ysgol. Mae'n debyg fod hynny yn newid rhywun – gorfod gweithio a pheidio â stwffio'i drwyn i mewn ym musnes pobl eraill o hyd. Cymerais gip sydyn arno trwy gornel fy llygaid rhag iddo fo 'ngweld i'n edrych arno. Oedd, roedd yr wyneb main a'r trwyn ffurat wedi newid rywsut – wedi colli'r onglau miniog, wedi meddalu. Gwenais. Dyna beth rhyfedd, dim ond ychydig o wythnosau'n ôl mi fyddwn i a Lora wedi cuddio tu ôl i'r clawdd a phledu Wil Ffurat efo cerrig. Doedd gen i ddim awydd pledu neb efo cerrig heddiw.

Wrth i ni nesáu at ben yr allt, roedd rhywrai yn rhuthro i lawr y ffordd tuag aton ni. Jim bach oedd yno ac yn ei ddilyn o bell roedd Lora.

"Ble wyt ti'n mynd, Jim?" holais. Gwthiodd Jim ei law i fy llaw inna a pharablodd Jim ei ateb, er na wnes i ddeall fawr ohono.

"Lle dach chi'ch dau'n mynd?" holodd Lora.

"Dwi ar fy ffordd i nôl burum," dywedais yn frysiog, a throi 'nghefn ar Wil, fel taswn i eisiau sicrhau Lora nad oedd Wil a finna'n mynd i unman efo'n gilydd.

"Gobeithio y ceith Ellis aros yn Ro-wen am dipyn eto felly…" meddai Wil, a'n gadael ni'n tri yno ar ben yr allt.

Gwenodd Lora a nodio.

"Wyt ti am ddod acw am funud cyn mynd yn dy ôl?" gofynnodd Lora. "Dydw i ddim wedi dy weld di ers talwm, Anni."

Yna, edrychodd yn ei hôl i gyfeiriad Wil. "Be oedd hwnna eisiau?" holodd Lora.

"Wsti be? Am unwaith, doedd o ddim eisiau dim byd, na gwybod dim byd, chwaith, ac yn fwy na hynny doedd ganddo ddim stori i'w chario," meddwn inna'n ddryslyd. Roedd hwn yn ha' rhyfedd. Doedd dim byd fel roedden nhw'n arfer bod rywsut.

"Ydi dy dad yn gwella?" holais.

"Ydi, yn ara bach. Mae'r briwiau'n mendio, beth bynnag, a dydi'r creithiau ddim mor goch. Mae o'n mynd allan i gefn y tŷ rŵan, i'r ardd i balu ac ati, ond dydi o'n dal ddim awydd mynd i olwg pobol, sti. Dydi o ddim eisiau i bobol ei weld o, ac mae hynny'n anodd. Diolch ei bod hi'n sych iddo fo gael mynd i'r ardd. Mae o'n mynd dan draed Mam, dwi'n gwybod, ac mae hi'n gallu bod yn ddigon pigog." Arhosodd Lora, cyn estyn ei llaw i dynnu Jim yn nes ati. "Dwn i ddim, mae Mam wedi newid, sti. Dydi hi ddim yr un fath ag yr oedd hi. Mi ges i hi'n ofnadwy ganddi ddoe. Ar Gwen Jones roedd y bai. Roedd hi wedi 'ngweld i'n gadael nodyn i Hywel yn y twll yn y clawdd, lle dwi'n arfer ei adael o. Roedd yr hen drwyn wedi bod yn fy ngwylio i, mae'n rhaid." Ochneidiodd Lora. Roeddwn i'n teimlo drosti. "Mi ddaeth Gwen Jones yn syth acw wrth gwrs, efo'r nodyn yn ei llaw..."

"O, Lora!"

"Wel, mi aeth Mam o'i cho'n lân, a 'nghyhuddo i o wneud eu bywyd nhw'n anodd, ac o ddwyn gwarth ar y teulu! Ond yn waeth na hynny," arhosodd Lora, roedd hi'n agos at ddagrau, "mi ddeudodd 'mod i'n gwneud i Tada boeni, ac na fydda fo byth yn mendio wrth i mi ddal i gysylltu efo Hywel. Dwn i ddim be i'w feddwl bellach. Wyt ti'n meddwl mai arna i mae'r bai fod Tada'n hir yn mendio?"

"Nage, siŵr iawn..." Ceisiais ei chysuro.

"Ac mae Jim yn gwrthod mynd at Tada, yn dianc ata i i guddio pan ddaw Tada i'r gegin, ac wedyn mae Mam yn deud 'mod i'n ei ddifetha fo," ochneidiodd.

Erbyn hyn roedden ni wedi cyrraedd y siop. Arhosodd Lora i chwythu ei thrwyn, cyn gwenu rhyw wên fach gam.

Canodd cloch y siop wrth i mi agor y drws. Roedd yn oer braf yno, a'r bleinds wedi'u tynnu i lawr dros y ffenestri i gadw'r golau rhag difetha'r nwyddau. Gallwn glywed sŵn traed Mrs Lloyd yn nesáu'n ara bach trwodd o'r cefn a thrwy'r llenni trwchus a wahanai'r tŷ a'r siop.

"Chi'ch tri bach sydd yma, ia?" meddai'n siriol. "Wedi dod i nôl y burum wyt ti, Ann?"

Nodiais ac aeth Mrs Lloyd yn ei hôl i'r tywyllwch yn y cefn i nôl y burum. Canodd cloch y drws wedyn a chamodd gwraig ddieithr i mewn i'r tywyllwch. Gallwn weld cudynnau o wallt brith yn gwthio oddi tan ei het wellt, ac eto roedd ei hwyneb yn ifanc. Neidiodd wrth glywed sŵn y gloch yn canu, a throi'n wyllt i edrych beth oedd wedi'i dychryn. Roedd hi'n fy atgoffa o aderyn bach ofnus wedi'i gau mewn ystafell ac yn methu dod o hyd i'r ffordd allan.

"Esgusodwch fi," meddai a chodi ei bysedd i sadio'r het, fel petai hi'n ofni i honno ddisgyn. "Tybed fedrwch chi fy helpu?"

Trodd Lora a finna i'w hwynebu ond daliodd Jim i syllu ar y jar licrish yn obeithiol.

"Rydw i'n chwilio am rywun," meddai wedyn. "Mae o'n byw yn y pentra, ond dydw i ddim yn gyfarwydd â Thrawsfynydd. Dwi'n chwilio am Tŷ'n Rhos?"

Agorodd llygaid Lora'n fawr.

"Tŷ'n Rhos?" meddai Lora.

"Ia, dyna chi. Dwi'n chwilio am rywun o'r enw Ifor Edwards?"

"'Nhad ydi o," meddai Lora. "Fy nhad i ydi Ifor Edwards."

Gallwn weld fod y ddynes wedi cael ysgytwad braidd. Arhosodd yn ei hunfan heb ddweud gair, dim ond syllu ar Lora a ffidlan efo rhuban ei het. Yna, rhoddodd besychiad nerfus.

"Ydi eich mam adra?" holodd wedyn.

"Ydi, mi ddown ni efo chi rŵan..." meddai Lora ond pan geisiodd afael yn llaw Jim mi aeth hwnnw i weiddi dros y siop. Doedd o ddim am adael heb ei ddogn arferol o licrish.

"Gad o efo fi. Mi ddo' i â fo adra," meddwn inna.

A gadawodd Lora'r siop, i dywys y ddynes ddieithr at ei thad i Dŷ'n Rhos.

18

Wedi i Jim bach gael ei licrish, aeth y ddau ohonom i eistedd yng nghysgod y coed i daflu cerrig i'r ffos. Doeddwn i ddim eisiau mynd â Jim yn ei ôl yn rhy fuan. Roedd y wraig ddieithr yn fy anesmwytho a doeddwn i ddim yn meddwl y byddai cael Jim yn y tŷ yn gwneud pethau'n haws i neb. Wedi taflu cerrig i'r dŵr am dipyn aeth y ddau ohonom draw am dro at y gamfa. Roedd creigiau yno i ni eistedd arnyn nhw ac mi es i ati i hel cerrig crynion i Jim gael eu gosod fel defaid ar y creigiau o'i amgylch. Roeddwn i bob amser yn synnu fod Jim mor hawdd i'w ddifyrru. Byddai'n gallu chwarae felly efo dim ond cerrig bach crynion fel defaid am hydoedd.

Roedden ni'n dau wedi dringo'r gamfa ac yn cerdded yn araf i fyny'r allt tuag at gartref Jim a Lora pan ddaeth y wraig ddieithr i'n cyfarfod. Cerddai'n gyflym, gan wneud camau bach herciog, a'i hwyneb yn astudio'r ffordd o'i blaen fel tasa hi ofn baglu. Roedd hi'n anadlu'n gyflym ac yn dweud rhywbeth wrthi ei hun, ei bysedd yn plycio yn rhuban ei het. Arhosodd Jim a finna iddi fynd heibio ond dydw i ddim yn meddwl iddi ein gweld ni, oherwydd wnaeth hi ddim hyd yn oed codi ei phen wrth fynd heibio.

Roedden ni'n dau wedi cyrraedd y tŷ pan gymerais gip i lawr y ffordd i edrych lle roedd y wraig erbyn hynny. Roedd dyn ifanc efo hi ar waelod yr allt, yn gafael yn ei braich, a phwysodd yn ei erbyn fel tasa hi ar fin syrthio. Oedd hi wedi cael cam gwag yn y diwedd, er iddi astudio'r ffordd mor ofalus, neu oedd hi wedi llewygu, ella, yn y gwres? Trodd y dyn ifanc i edrych i fyny i'n cyfeiriad ni. Hywel oedd o! Gwyliais y ddau'n cerdded yn eu blaenau, y wraig yn pwyso'n drwm ar ei fraich, nes yr aethon nhw o'r golwg heibio'r tro.

Daeth Dodo Citi i'r drws, a gafael yn Jim.

"Diolch i ti am edrych ar ei ôl o i mi," meddai, ond gallwn weld fod ei meddwl ymhell. "Ty'd i mewn i gael llymaid cyn i ti fynd adra."

Cododd Lora o'r bwrdd i dywallt diod ysgawen oer i mi. Yn y gadair, â'i gefn at y ffenest, roedd Dewyrth Ifor, yn y gornel lle byddai'n eistedd bob tro yr awn i heibio, os nad oedd o yn y siambr neu allan yn yr ardd. Gwyddwn pam mai'r gadair honno roedd o'n ei dewis. Roedd y gadair yn y cysgod, wedi'i gwthio yn ei hôl fel na fedrai'r golau ei chyrraedd ac roedd y llenni'r ochr honno wedi'u tynnu bob amser i rwystro'r golau rhag dod i mewn. Roedd hynny'n gwneud i'r ystafell i gyd fod o dan guwch o dywyllwch. Dim ond gwyll o olau llwyd oedd yno yn lle'r golau llachar canol dydd roeddwn i'n gyfarwydd â'i gael yng nghegin gynnes Dodo Citi. Eisteddai Dewyrth Ifor yn syllu o'i flaen, ei ddwylo'n llonydd.

"Ond sut y gwyddai hi lle i ddod o hyd i chi, Tada?" holodd Lora. Wnaeth Dewyrth Ifor ddim symud, dim ond syllu i nunlle.

"Tada?" Ceisiodd Lora wedyn. Trodd Dewyrth Ifor i edrych ar Dodo Citi a daeth hithau draw i sefyll wrth ei ymyl. Rhoddodd ei llaw ar ei ysgwydd ond ddaeth yr un smic o gyfeiriad ei gŵr.

"Tada?" ceisiodd Lora wedyn.

"Roedd ei gŵr hi yn yr un gatrawd â dy dad, Lora," meddai Dodo Citi. "Wyt ti'n cofio fi'n deud hanes Ted bach, Park Place, wrthat ti? Wel, mae Ted adra ar *leave* am ychydig ac mi aeth heibio'r ddynes yna efo ambell beth oedd yn eiddo i'w gŵr hi, i'w rhoi nhw'n ôl iddi, sti. Ac mi ddigwyddodd sôn wrthi am dy dad, a'i fod o yn yr un frwydr â'i gŵr hi, ac mae'n debyg mai dy dad oedd y person diwetha i'w weld o… Dod i holi am ei gŵr wnaeth hi, Lora, ond dwi'n meddwl ei bod hi wedi cymryd ati wrth weld dy dad..." Gwasgodd Dodo Citi ysgwydd ei gŵr, fel 'tai hi eisiau dweud fod y ddynes yn wirion ac nad oedd eisiau dychryn wrth weld Dewyrth Ifor, gan nad oedd yna ddim byd yn bod arno.

"Oeddech chi'n nabod ei gŵr hi felly, Tada?"

Nodiodd Dewyrth Ifor a daeth rhyw sŵn rhyfedd o'i wddw.

"Oedd, roedd dy dad a fynta'n ffrindiau mawr, Lora. Dyna pam fod dy dad wedi cymryd ato, yli... Roedd y ddau wedi bod yn gefna i'w gilydd trwy'r cwffio felltith yna yn Mametz..."

"Ond fedrwch chi ddim ei helpu hi, yn na fedrwch, Tada? Yn y frwydr honno yn Mametz cawsoch chi eich brifo, yntê? Does dim disgwyl i chi gofio dim o hanes ei gŵr hi, siŵr. Sut roedd hi'n disgwyl i chi gofio a chitha wedi brifo mor ddrwg?"

"Na, doedd hi ddim yn gweld bai ar dy dad, Lora, dim ond chwilio am ryw gysur oedd hi, fel baswn inna. Eisiau clywed gan yr un fu'n siarad efo'i gŵr hi am y tro diwetha... y greaduras, y peth bach iddi..."

Trodd Dewyrth Ifor ei wyneb i edrych ar Dodo Citi a rhoddodd ei law dros ei llaw hi. Gallwn weld cyhyr ei foch yn symud fel 'tai o'n ceisio'i ora i ffurfio rhyw air yn ei geg.

"G... Gru... Gruff," meddai.

Roedd Jim wedi bod yn eistedd ar fy nglin ar y gadair wrth y drws, yn chwarae efo rhuban fy het.

"Gruff Wmffra." Daeth y geiriau eto.

Arhosodd pawb yn llonydd, llonydd. Roedd y llais dieithr yn atseinio trwy'r gegin. Yna, trodd Jim i edrych yn syn ar ei dad, gollyngodd yr het a dechrau chwerthin. Chwerthin dros y gegin i gyd! Yna, dringodd i lawr oddi ar fy nglin a rhedeg draw at ymyl ei dad. Wyddai Dewyrth Ifor ddim beth i'w wneud i ddechrau, yna cododd Dodo Citi Jim bach a'i roi i eistedd ar lin ei dad. Rhoddodd Dewyrth Ifor ei freichiau amdano a'i ddal yn dynn. Dechreuodd Dodo Citi chwerthin wedyn – chwerthin a chwerthin nes roedd hi'n crio.

19

Gorffennaf yr 21ain, 1917

Annwyl Deulu,

Rwyf yn ysgrifennu atoch gan fawr obeithio eich bod i gyd mewn iechyd yna, fel yr wyf innau. Yr ydym ers ddoe wedi teithio trwy wlad wedi'i chreithio'n ddwfn, ac olion rhyfel wedi'i anharddu. Eglwysi a'u tyrau wedi chwalu a threfi cyfan yn furddunod, ond martsio ymlaen sydd raid, ac erbyn hyn rydym wedi gadael Ffrainc o'n holau, ac wedi croesi i wlad fechan Belg.

Ni chaf ddweud, wrth gwrs, lle'n union yr ydym wrthych, gan y byddai hynny'n dwyn sylw'r swyddogion, a does wybod beth y bydden nhw'n ei wneud efo fy llythyr. Felly, digon yw dywedyd ein bod bellach wedi gosod ein gwersyll mewn man digon llaith a budr dan draed. Cawsom ddyddiau braf, ond mae'r tywydd gwlyb a fu, a'r bombardio, wedi troi'r tir yn gors ddigysur. O fy mlaen mae ffos ddu a'i llond o duniau Bully Beef gwag. Maent yn dywedyd wrthyf mai o'r ffos hon yr ydym i godi ein dŵr yfed ond amau hynny yr ydwyf. Daliodd un o'r bechgyn lygoden fawr yn ei sach neithiwr; y maent yn bla yma... a phan arhoswn yn llonydd fe deimlwn eu cyrff yn symud dros ein coesau, neu

uwch ein pennau yn sniffio. O, na fyddwn i lawr
wrth lan afon Prysor a'i phyllau gloyw, a 'Dim
ond lleuad borffor ar fin y mynydd llwm; a sŵn hen
afon Prysor yn canu yn y Cwm...'

Ond digon am hynny. Stori fechan i Ann ac Enid
sydd gennyf nesaf. Roeddwn i'n eistedd ar ymyl y
ffordd ddoe pan ddaeth gŵr ifanc heibio yn tywys
dau geffyl. A minna'n credu mai Sais oedd y gŵr,
yn holi hynt y ddau farch yn fy Saesneg gorau, ac
yntau'n ateb – "Rhai da ydyn nhw, fachgen, a wsti
beth ydi eu henwau nhw? Wel, Main ydi hwn a
Mawr ydi'r llall!" Bachgen o Lanuwchllyn ydoedd,
a'i waith ydyw cario ffrwydron i'r ffosydd. Bachgen
rhadlon a siriol ydyw. Mae yma nifer o hogiau
Meirionnydd – gormod o lawer – ond mae'n braf
cael sgwrs a thrafod pethau sy'n gyffredin rhyngom.
Os medrwch, rieni annwyl, ceisiwch wneud popeth
sydd o fewn eich gallu i rwystro Bob rhag gorfod dod
allan yma. Mi wn y gwnewch chi hynny a fedrwch
o ran hynny.

Llwyddais i orffen yr awdl, Nhad, a danfonais hi
i'w chopïo ac yna ymlaen i'r Steddfod. Wn i ddim
beth ddaw ohoni... Ond tasai'r Steddfod yn chwilio
am awdl i 'Yr Arwr' y flwyddyn nesaf, wel, mi
fyddai gennyf ddigon o destun i sgwennu amdano.
Mae yma ddigon o 'Arwyr' allan yma, wyddoch.
Nid y milwyr gorau, efallai, ond y dynion hynny

sydd yn gallu dal eu gafael mewn brawdoliaeth mewn lle mor dywyll. Y rheiny ydyw'r gwir arwyr.

Diolch i chi am y parsel a'ch llythyrau. Mae clywed am eich hynt a'ch helynt yn gysur i mi yma. Daliwch i ysgrifennu. Diolch am y gacen, Maggie. Un dda oedd hi, er bod y cyrains ym mhob man wedi i'r parseli gyrraedd i lawr y lein, ac mae golwg sobor arnyn nhw. Daliwch i ysgrifennu. Mae eich llythyrau'n hwb, ond ceisiwch beidio â phoeni amdanaf. Cofiwch fy mod yn un go chwim ar fy nhraed ac mi fedraf redeg o flaen y gelyn yn burion.

Yn gynnes iawn,
Eich mab a'ch brawd,
Ellis

Tada fyddai'n darllen llythyrau Ellis yn gyntaf, Mam wedyn ac yna'r gweddill ohonom yn ein tro, nes y byddai golwg mawr ar y dalennau erbyn iddyn nhw gael eu darllen gan bawb. Byddai Mam wedyn yn eu cadw yn ofalus ar y ddresel y tu ôl i'r Beibl, nes y deuai rhywun arall heibio ac eisiau eu darllen.

Mi fyddwn ni'n cael hanes Ellis hefyd trwy lythyrau rhai o'r hogia eraill sydd allan yno. Mewn lle o'r enw Ypres maen nhw, meddai Tada, ac mi ges i weld lle'r oedd fan honno ar atlas Mr Jones y diwrnod o'r blaen. Maen nhw yng nghanol Gwlad Belg, ac yno mae'r *front line* – dyna beth maen nhw'n galw'r ardal lle mae'r cwffio'n digwydd, meddai Lora. Rydw i'n ceisio gwthio hynny o'm meddwl, achos mae meddwl am Ellis yn ymyl y *front line* yn codi ofn dychrynllyd arna i. Mae yna gymaint o fechgyn yr ardal wedi bod yn y *front line* ac yn dal yno yn rhywle o dan y pridd. Lle ofnadwy ydi o, meddan nhw, ond dwi'n trio peidio â gwrando.

Ond pan ddaw llythyrau Ellis rydw i'n teimlo'n well yn syth, fel tasa yna ddarn bach ohono'n dod yn ei ôl i gegin yr Ysgwrn efo'r llythyr, fel taswn i'n gallu clywed ei lais o'n dweud ei fod o'n iawn, ac yn ein siarsio i beidio â phoeni amdano fo.

Daeth Maggie yn ei hôl pnawn yma wedi iddi fod yn Stiniog, a gweld Jini Owen yno. Roedd Jini hefyd yn gwybod am yr awdl ac yn falch fod Ellis wedi medru ei gorffen hi a'i hanfon mewn pryd i gystadleuaeth y gadair yn yr Eisteddfod Genedlaethol. Roedd Jini'n dweud ei bod hi'n meddwl fod gan Ellis siawns dda o ennill 'leni ac roedd Jini wedi chwerthin wrth sôn am sut y gwnaeth hi orfodi i Ellis addo y byddai o'n dweud wrthi os byddai o *yn* ennill. Roedd Jini eisiau gwybod mewn digon o bryd fel ei bod hi'n gallu prynu het newydd i fynd efo'r enwog 'Hedd Wyn' i nôl ei gadair o Birkenhead!

"Het newydd, wir!" meddai Mam pan glywodd hi'r stori gan Maggie. "Mi fydden ni'n rhai swanc, yn bydden, yn mynd yn un rhes ar y trên i Birkenhead i'r Eisteddfod Genedlaethol, ac mi fasa yna hen siarad ar hyd y lle yma!"

Ond dwi'n meddwl bod Mam wrth ei bodd efo'r stori ac mi fyddai hi'n rhoi benthyg ei siôl ffwr i Jini i fynd i'r Steddfod, petai hi ond yn gofyn.

Rydw i wedi addo aros am Lora wrth y gamfa ar fy ffordd o'r capel. Mae gweddill teulu'r Ysgwrn wedi mynd yn eu blaenau am adra, er bod Enid yn swnian eisiau aros efo fi. Chwarae teg i Maggie, mi addawodd fynd ati i wneud ffrog i ddoli Enid tasa hi'n mynd yn ei blaen adra heb wneud ffŷs. Mae Maggie'n deall 'mod i'n cael digon ar fy chwaer fach yn fy nilyn i bob man a finna eisiau cyfle i siarad mewn heddwch am bethau pwysig bywyd efo Lora.

Mae Lora i fod yma ers meitin ond does dim golwg ohoni. Mae hi'n ddiwrnod clòs a thrymaidd, a'r tes yn cydio am dopiau'r creigiau. I fyny ar y ffriddoedd mae'r grug yn dechrau blodeuo gan droi'r llethrau'n borffor clws. Mae pob man yn dawel. Mae oglau melys yr haul ar y gwair yn gymysg efo oglau blodau'r eithin ond mae'r cynhaeaf gwair yn cael llonydd am heddiw. Mae pawb yn rhy brysur yn gweddïo, yn gweddïo am eu pryderon bach cyfrin ac yn trio gwenud bargeinion efo Duw. Lle felly ydi Trawsfynydd ar ddydd Sul. Does neb yn rhuthro efo'r cynhaeaf achos mae'r tes yn proffwydo fod y tywydd braf am aros am sbel. Gobeithio fod hynny'n wir.

Mi fu Enid, Maggie a finna i fyny yn hel llus ddoe ac mae Mam wedi gwneud jam i'w yrru i Ellis. Siawns y gwneith hwnnw ei gyrraedd yn gyfan neu mi fydd yna lanast o ddifri yn ei barsel.

Dwi'n codi 'mhen i weld Lora'n brasgamu dod ac mae Hywel efo hi. Mae 'nghalon i'n suddo. Dydw i ddim eisiau gorfod dweud celwydd wrth neb, neu o leiaf peidio â dweud y gwir i gyd. Pan fydd Mam yn gofyn pwy welais i ar ôl y capel, fedra i ddim cyfaddef fod Hywel efo Lora neu mi fydd Mam yn meddwl yn ddrwg ohoni, achos mae hithau'n gwybod nad ydi Lora a Hywel i fod i gyfarfod. A ph'run bynnag, roeddwn i wedi meddwl cael sgwrs iawn efo Lora. Ond wrth iddyn nhw nesáu, dwi'n gallu gweld bod wyneb Lora yn wridog, a'i llygaid hi'n loyw ac yn llawn cyffro. Mae hi'n rhuthro ac yn taflu ei hun ar y llawr wrth fy ymyl. Mae Hywel yn ei dilyn yn araf, fel tasa fo'n synhwyro nad ydw i ddim eisiau iddo fod yno.

"Anni!" Mae Lora yn ymladd am ei gwynt. "Anni, mae gen i newyddion i ti…"

"O?"

"Anni, wyddost ti'r ddynes ddieithr yna ddaeth heibio'r diwrnod o'r blaen…?"

"Honno oedd yn y siop?"

"Ia, wel pwy ddyliet ti ydi hi, Anni?" gofynnodd yn wyllt. Fedrwn i ddim meddwl pwy fedrai hi fod, dim ond ei bod hi, druan fach, yn wraig i Gruff Wmffra wrth gwrs. Erbyn hyn roedd Hywel wedi cyrraedd ac wedi eistedd ar stepan isa'r gamfa.

"Wel," edrychodd Lora i fyny ar Hywel, a gwenu. "Wel, mam Hywel oedd hi…"

"Dy fam?" Edrychais ar Hywel a nodiodd Hywel a rhoi rhyw wên fach gam fel tasa fo'n ymddiheuro.

"Ia, Mam oedd hi," meddai'n dawel. "Roedd hi wedi deall fod tad Lora yn Mametz efo Tada. Gruff Wmffra oedd Tada. Roedd y ddau yn ffrindia penna…"

Gallwn deimlo'r tristwch wrth i Hywel sôn am ei dad a phwysleisio mai Gruff Wmffra *oedd* ei dad. Roedd ganddo dad unwaith, roedd gan ei fam ŵr a chymar oedd yn ei charu unwaith, cyn i'r rhyfel erchyll yma ddod a newid pob dim. Ond yna cydiodd Lora yn fy mraich. Roedd y gwrid yn ei hwyneb yn arwydd fod ganddi rhywbeth arall i'w ddweud.

"Ti'n cofio'r llythyr yna welaist ti, hwnnw roedd Tada wedi'i sgwennu i Mam i esbonio be ddigwyddodd iddo fo?"

Wrth gwrs 'mod i'n cofio. Roedd geiriau'r llythyr hwnnw'n dod yn ôl i 'mhlagio weithiau ganol nos, pan nad oedd golwg o'r sêr yn nunlle.

"Wel, ti'n cofio fod Tada yn sôn llawer am Gruff Wmffra? Tad Hywel. Wel, doedd Tada ddim eisiau i mi weld Hywel achos ei fod o'n teimlo'n euog."

"Pam? Pam fyddai Dewyrth Ifor yn teimlo'n euog? Doedd dim bai arno fo, yn nagoedd?"

"Na, dim bai…" meddai Hywel.

"Na, dyna ddeudodd mam Hywel hefyd. Doedd dim bai ar Tada, fedrai o ddim bod wedi gwneud dim byd arall…"

"Ond pam fod Dewyrth Ifor yn gwrthod gadael i ti weld Hywel, felly?" gofynnais.

"Roedd Tada wedi deall pwy oedd Hywel, wedi rhoi'r darnau at ei gilydd ac wedi deall mai mab Gruff oedd Hywel. Roedd Gruff wedi sôn cymaint amdano tra oedden nhw yn y ffosydd."

Edrychodd Lora ar y bachgen ifanc o'i blaen a gwenu'n swil, "Wedi brolio mor glyfar oedd o...!"

Chwarddodd Hywel yn ysgafn.

"Ond roedd Tada wedi addo i Gruff y byddai'n medru ei gael o adra rywsut, ond methu wnaeth o, yntê?"

"Roeddwn i'n ei atgoffa o'r llanast i gyd, mae'n rhaid, rhywbeth roedd o'n trio ei orau i'w wthio mor bell ag y gallai o'i gof. A dyma finna'n cyrraedd Traws i agor yr hen grachen yn ei hôl," sibrydodd Hywel. "Does ryfedd nad oedd o eisiau i mi ddod yn agos at y tŷ." Arhosodd Hywel am funud, yna cododd ei ben. "Ond weithiau, fedri di ddim cadw at dy addewid, yn na fedri, ac nid arnat ti mae'r bai am hynny."

"Na, mae Tada'n deall hynny rŵan, dwi'n meddwl, wedi i dy fam fod acw," meddai Lora.

"Mi liciwn i tasa Mam yn medru derbyn fod 'Nhad wedi mynd ac roeddwn i'n meddwl y byddai gweld dy dad yn help iddi ddeall hynny, sti," meddai Hywel wedyn. "Mae hi'n methu derbyn na ddaw o yn ei ôl. Mae hi'n dal i gadw ei betha fo yn union lle maen nhw. Mae ei esgidiau gwaith o wrth y drws ac mae hi'n dal i fynd i'r gweithdy i dwtio ei offer gwaith coed o, ond dydyn nhw ddim yn symud, yn nac ydyn, achos does neb yna i wneud dim byd efo nhw..."

Ddywedodd yr un ohonom 'run gair am funud. Roeddwn i'n methu peidio â meddwl am y ddynes ddieithr a'i symudiadau fel aderyn bach yn hofran o gwmpas, yn twtio ac yn glanhau ar ôl rhith o ŵr fu unwaith yno'n rhannu ei bywyd, ond oedd bellach wedi'i golli.

"Mae hi'n dal i gredu fod yna obaith, sti. Chawson ni ddim

cadarnhad ei fod o'n farw. Dim corff, dim bedd." Prin clywed llais Hywel oeddwn i. "Mae hi'n mynd i Lundain fory ar y trên i gyfarfod rhywun swyddogol, rhag ofn y medar hwnnw ein helpu ni. Ond mi fydden ni wedi clywed tasa fo'n garcharor, neu mewn ysbyty neu rywbeth…" meddai gan syllu ar Lora, "yn bydden?"

Nodiodd Lora.

Arhosodd y tri ohonom yn dawel wedyn. Doedd dim byd mwy i'w ddweud rywsut. Yna, cododd Lora a gwenu.

"Wyt ti am ddod adra efo ni i gael te, Anni? Mae Hywel wedi'i wadd acw gan Mam," meddai'n hapus, "ac mae hi wedi gwneud tarten lus yn arbennig."

Gwenais a nodio. Mi fyddai'n braf gweld Dodo Citi yn ôl yn ei hwyliau.

20

Wedi mynd ag arian y genhadaeth i Gwen Jones roeddwn i. Roedd Mam wedi fy siarsio i beidio â bod yn hir. Mae Mam fel iâr a'i chywion y dyddiau yma – eisiau gwybod lle mae pawb o hyd – a dydi hi ddim fel tasa hi'n hapus oni bai ein bod i gyd yn y tŷ o'i chwmpas. Dwi'n gwybod beth sy'n bod. Mae hanes y brwydro yn y papurau. Y brwydro mawr yn Fflandrys. O amgylch Ypres mae'r cwffio rŵan, meddai pawb sydd yn gwybod am y pethau hynny. Maen nhw'n sôn am ryw Drydydd Cyrch Ypres yn y papurau a brwydr fawr i drio cipio lle o'r enw Passchendaele oddi ar y gelyn. Mae'r papurau'n sôn am y frwydr fawr ar y diwrnod olaf o Orffennaf ac yn canmol rhyw swyddog o'r enw Haig am ei gynllun. Does gan Bob fawr o feddwl o'r dyn Douglas Haig yma. Dydi dynion fel hwnnw ddim yn gorfod baeddu eu dwylo, meddai Bob, dim ond gadael i hogia diniwed fel Elsyn i wneud y gwaith budr drosto.

Rydan ni'n cael gwybod fod y colledion wedi bod yn drwm ond mae'r papurau'n dweud fod ein hogia ni wedi gwneud yn dda ac wedi dwyn peth o'r tir oddi ar yr Almaenwyr. Wyddon ni ddim faint o goel i'w rhoi ar y papurau newydd erbyn hyn, mae cymaint o gelwydd wedi'i ddweud. Ond dydan ni ddim wedi clywed dim gan Ellis ers dyddiau.

Mae'r dyddiau'n llithro heibio. Cyfnod o aros ydi hi arnon ni ac mae pawb ar binnau. Rydan ni'n cipio pob darn o newyddion ac yn cnoi drosto, ac yn hel meddyliau. Mae yna lythyrau yn dod gan rai o'r bechgyn eraill at eu teuluoedd yn y Trawsïo ond digon tawedog ydi pawb. Rydan ni i gyd yn gweddïo, yn trio codi calonnau'r naill a'r llall, yn gobeithio ac yn ofni ar yr un pryd. Mae yna sibrydion, rhyw sisial tawel fel y gwynt trwy ddail y coed, ond rydan ni'n trio gadael i'r rheiny fynd heibio i ni, heb wrando gormod arnyn nhw. Dwi'n gwybod fod yr aros yn pwyso'n drwm ar Tada a Mam. Mi fedraf eu clywed yn sibrwd yn isel yn eu gwlâu yn hwyr i'r nos ac yn y bore, mae'r olwg ar wyneb Mam yn profi na ddaeth cwsg i'w hebrwng i dir gorffwys.

Rydw i'n aros ar stepan drws Gwen Jones.

"Ydach chi wedi clywed rhywbeth gan Ellis?" holodd. Dyna beth mae pawb eisiau ei wybod y dyddiau yma.

"Naddo, ddim eto," atebais. Does neb byth yn cael eu gwadd i'r tŷ gan Gwen Jones.

"Naddo?" Cododd ei haeliau fel tasa hi'n amau 'mod i'n dweud celwydd wrthi. Gallwn deimlo ei llygaid meinion yn treiddio i mewn i mi, fel tasan nhw'n chwilio am ryw arwydd ar fy wyneb 'mod i'n palu celwyddau.

"Naddo, ddaeth yna 'run llythyr ers wythnos olaf Gorffennaf," atebais yn bendant ac roedd hi bellach yn ganol Awst.

"O! Rhyfedd," meddai wedyn. "Mae ambell un wedi cael llythyr ganddo fo, yn ôl be dwi'n 'i ddeall…" meddai wedyn, ac aros i weld pa effaith fyddai ei geiriau yn eu cael arna i. Wyddwn i ddim beth i'w ddweud, felly arhosais yno ar stepan y drws yn syllu arni.

"Dyna glywais i, beth bynnag," meddai. "Rhywun oedd wedi bod tua Stiniog ddoe ac wedi gweld yr eneth honno mae o'n ei chanlyn. Be ydi ei henw hi?"

"Jini Owen?" sibrydais. Oedd Jini wedi cael llythyr? *O, Dduw Mawr, gwna i Jini fod wedi cael llythyr yn dweud fod Ellis yn iawn…* Roeddwn i wedi dechrau gweddïo eto, gweddïo efo fy llygaid ar agor, achos fedrwn i ddim eu tynnu nhw oddi ar wyneb Gwen Jones. Roedd hi fel tasa hi'n fy herio, yn gwneud hwyl am fy mhen, a'i cheg ar hanner tro sbeitlyd.

"Ia, honno," meddai, cyn tawelu. Roedd hi'n gwybod yn

iawn 'mod i eisiau clywed mwy ond doedd hi ddim am gynnig unrhyw wybodaeth chwaith.

"Be ddeudodd o wrth Jini, wyddoch chi, Gwen Jones? Wyddoch chi ydi Ellis yn saff?" gofynnais yn y diwedd. Roedd fy ngwddw'n grimp.

"Dwn i ddim ar y ddaear fawr be ddeudodd o wrthi hi, ond mai'r ffaith ei fod o wedi sgwennu o gwbwl yn deud ei fod o'n groeniach, mae'n debyg," meddai'n swta. "Ond chawsoch *chi* ddim gair ganddo fo?" holodd wedyn a sgriwio'i llygaid yn fach, fach.

Fedrwn i wneud dim byd ond ysgwyd fy mhen yn wirion, cyn troi ar fy sawdl a rhedeg yr holl ffordd at waelod yr allt. Arhosais am funud i gael fy ngwynt ataf ac i bwyso dros ganllaw'r bont.

O, Dduw Hollalluog yn y nef, dwi'n addo rhoi pob dim sydd gen i, y broets, y rhuban coch, pob un carreg wen i Enid. Dwi'n addo nôl dŵr heb i neb ofyn, a charthu'r ieir. Dwi'n addo gwneud bob dim… os ydi geiriau Gwen Jones yn wir…

Mae'n rhaid 'mod i wedi bod yn siarad efo Duw yn uchel, er nad oeddwn i'n deall hynny, achos y peth nesaf rydw i'n ei gofio oedd bod Wil yno wrth fy ymyl.

"Wyt ti'n iawn, Ann?" gofynnodd Wil. "Efo pwy oeddet ti'n siarad?" Holodd gan bwyso dros y canllaw i syllu i gyfeiriad y ffos fel tasa fo'n chwilio am rywun.

"Canu oeddwn i," meddwn inna.

"O, dyna ti," meddai yntau wedyn. "Ar dy ffordd adra wyt ti?"

"Ia."

"Ydach chi yn iawn acw, Ann?" holodd wedyn.

"Ydan," atebais. Trodd Wil, ac edrych yn rhyfedd arna i.

"Well i ti fynd adra," meddai, a rhoddodd wên fach gam i mi cyn brysio yn ei flaen.

Roedd Dodo Citi efo Mam yng nghegin yr Ysgwrn pan gyrhaeddais. Edrychais ar Mam a hithau'n eistedd wrth y bwrdd. Roedd ei hwyneb wedi heneiddio a'r cysgodion duon yn gleisiau o dan ei llygaid. Wrth gwrs, roedd Dodo Citi yn iau na hi o lawer, dim ond yn ei thridegau cynnar oedd hi, ychydig yn hŷn nag Ellis ni. Lora oedd ei phlentyn hynaf hi, a minna ac Enid yr ieuengaf o blant yr Ysgwrn. Edrychais ar Mam. Roedd ôl y blynyddoedd arni, ôl pryder mam.

Gwenodd Dodo Citi.

"Wyt ti'n iawn, Anni?" holodd yn gynnes.

Nodiais a rhuthro i nôl y bwcedi cario dŵr. Roedd gen i fargen i'w chadw.

"Welaist ti Lora yn y pentra?" meddai wedyn.

Ysgydwais fy mhen.

"Glywaist ti mo'r newydd felly?"

Ysgydwais fy mhen unwaith eto.

"Pa newydd?"

"Mae Hywel a'r teulu wedi cael newyddion da!" Chwarddodd Dodo Citi a gwenodd Mam. "Wsti fod ei fam o wedi bod i lawr yn Llundain? Wel, maen nhw wedi dod o hyd i Gruff Wmffra!"

"Ond…"

"Dydyn nhw ddim wedi'i weld o eto, ond mae mam Hywel ar ei ffordd heddiw i ryw ysbyty i lawr yn ne Lloegr. Maen nhw'n meddwl yn siŵr mai yno y mae o. Mae ganddyn nhw glaf yno sy'n siarad dim ond Cymraeg ac yn galw ei hun yn Gruff."

"Mae hynna'n wyrth, yn tydi Citi?" chwarddodd Mam. "Mae Ifor wrth ei fodd, siŵr."

"Ydi, mae pawb wedi cyffroi, wyddoch chi, Mary. Pawb!" Gwenodd.

Yna, cofiodd Mam am fy neges efo Gwen Jones, a throdd ataf i fy holi.

"Welaist ti Gwen Jones, Anni?"

"Do," ond ddywedais i ddim mwy. A ddyliwn i ddweud wrthi am lythyr Jini Owen?

Ond fu ddim yn rhaid i mi bendroni mwy achos mi ddaeth Maggie i mewn yn gyffro i gyd a Jini Owen wrth ei chwt.

"Mam, Mam!" galwodd Maggie. "Tyrd i mewn, Jini..." meddai, gan arwain Jini at y bwrdd.

"Edrychwch!" meddai Maggie a gwthio'r dalennau i llaw fy Mam. Chwarddodd Jini a thaflu ei phen yn ôl, yn union fel y gwelais hi'n gwneud y diwrnod hwnnw yn yr haul, a hithau fraich ym mraich efo Ellis.

"Be ydi o?" gofynnais, a rhuthro i gael cip dros ysgwydd Mam.

Llythyr gan Ellis oedd ganddi, wedi'i yrru o'r ffosydd. Yno, roedd ysgrifen Ellis, a cherdd i ddymuno pen-blwydd hapus i Jini Owen, ei gariad.

"Darllenwch y gerdd i ni, Mam," meddai Maggie gan chwerthin. Edrychodd Mam yn swil ar Jini.

"Na, chwarae teg i Jini, ei cherdd hi yw hi," meddai, a gwelais yr edrychiad yna rhwng Mam a hithau, fel petai Mam yn dweud: *dyna ti, dy eiddo di ydi Ellis rŵan. Edrych ar ei ôl o i mi. Ddof i ddim rhyngoch chi.*

Ond roeddwn i wedi cael cip arni dros ysgwydd Mam ac mi fedraf gofio un pennill yn iawn:

A phan êl y rhyfel heibio
Gyda'i gofid maith a'i chri,
Tua'r Ceunant Sych dof eto
Ar fy hynt i'ch ceisio chwi...

Yna cofiais am y bwcedi dŵr gwag, a gadewais y gegin lle roedd pawb yn chwerthin a siarad trwy'i gilydd am y wyrth o ddod o hyd i Gruff Wmffra; am Ellis a'i gyfarchion pen-blwydd i'w gariad. Ond doedd neb, neb ond fi, wedi sylwi ar y dyddiad ar y llythyr, neu ella nad oedden nhw eisiau sylwi. Roedd y llythyr wedi'i ysgrifennu cyn diwedd Gorffennaf – cyn y frwydr fawr.

Wrthi'n stryffaglio efo'r bwcedi roeddwn i pan ddaeth Dodo Citi a Jini allan i ben y drws, ar eu ffordd yn ôl am y pentra.

"Brysia i lawr acw, Anni. Ti'n gwybod y bydd Lora wrth ei bodd yn dy weld, ac mi fydd hi'n llawn o hanes, dwi'n siŵr."

Gwyliais y ddwy'n brasgamu i lawr y ffordd o'r Ysgwrn. Gwenais. Roedd rhyw ysgafnder yn eu symudiadau nhw heddiw.

Trois yn fy ôl i godi'r bwcedi. Roedd Enid yn y drws, a gelwais arni i ddod i fy helpu ond doedd hi ddim yn edrych i 'nghyfeiriad i. Roedd hi'n syllu ar y ffordd o'i blaen. Yna, gwelais hi'n troi'n wyllt cyn rhuthro yn ei hôl i mewn i dywyllwch y tŷ. Rhoddais y bwcedi i lawr er mwyn i mi gael mynd at y glwyd i weld beth oedd wedi peri iddi ruthro yn ei hôl i'r tŷ fel yna. Fedrwn i weld neb na dim, ond uwch fy mhen gallwn glywed sŵn cwyno dau hen fwncath. Gwyliais y ddau aderyn yn cylchu, rownd a rownd, yn nesáu at eu hysglyfaeth. Dechreuais grynu yno yng nghanol gwres mis Awst wrth i gysgod eu hadenydd anferth ddod rhyngof i a'r haul.

Dyna pryd y gwelais i'r negesydd. Gwyliais fy nhad yn cerdded i'w gwfwr, yn ei gyfarch â gwên dawel. Gwyliais ei wyneb yn newid wrth iddo estyn am yr amlen. Trodd y negesydd, ei ben yn isel, a gwyliais ei gamau'n pellhau oddi wrth y tŷ. Tŷ galar. Gwyliais Tada'n aros, yn pwyso ar y glwyd, yn agor yr amlen, yn darllen y geiriau. Gwyliais fy nhad yn crymu, yn gwyro, yn pwyso'n drwm ar ymyl y glwyd. Yno, o fy mlaen, gwyliais fy nhad yn troi yn hen, hen ŵr.

★

Does dim geiriau ar ôl i'w dweud yma yn yr Ysgwrn. Aeth fy Mam i'w gwely a dwn i ddim pryd y daw hi ohono. Mae Tada wedi eistedd trwy'r dydd, y Beibl wrth ei ymyl ar y bwrdd, ond heb ei agor. Mae hi'n dywyll ac mae Enid a finna'n mynd i'n gwlâu. Mae Maggie, Bob ac Ifan am aros yn gwmni i Tada ond does yna neb yn yngan gair. Yn y gwely, mae Enid yn closio ataf. Fel arfer, mi fyddwn i'n dweud y drefn ac yn ei gwthio draw i'w hochr hi ond dwi'n rhoi fy mreichiau amdani ac yn ei dal yn dynn. Rydw i'n mwytho'i gwallt ac mae hi'n igian crio yn ei chwsg. Pan mae ei hanadl hi'n esmwytho, ac rydw i'n siŵr ei bod hi'n cysgu, rydw i'n datod fy mreichiau ac yn codi'n dawel. Rydw i'n tynnu'r llenni yn ôl ac yn edrych ar yr awyr. Mae'r tywydd braf am droi. Mae'r cymylau yn hel o gyfeiriad y môr. Dwi'n edrych i fyny, ond mae'r sêr i gyd wedi'u diffodd.

Medi 1918

Rydw i'n mynd yn aml i'r parlwr i syllu ar y gadair – Cadair Birkenhead. Cadair dywyll ydi hi a'i llond o gerfiadau cywrain. Cadair dal a hardd ond does neb yn eistedd arni. Heddiw, rydw i'n mynd i'r parlwr i nôl fy nillad gorau. Mae Maggie wedi altro ei ffrog hi i mi, honno gafodd hi wedi'i gwneud pan fu hi yn Lerpwl, ac mae hi wedi gwnïo coler les glws arni. Mae Mam wedi rhoi haearn yn ofalus drosti ac wedi'i gosod dros y gadair yn y parlwr i'w chadw rhag iddi fynd yn blygiadau blêr eto.

Heddiw, mae Lora Margaret a Hywel Humphrey yn priodi, a fi ydi'r forwyn. Mae Dodo Citi a Dewyrth Ifor yn dod i'r capel, a mam Hywel, a Gruffudd Wmffra wrth gwrs, sef tad Hywel. Mi fu Gruff Wmffra draw yn ymweld â Dewyrth Ifor, wedi iddo fendio'n ddigon da, a doedd yna 'run llygad sych yn y tŷ wrth weld mor falch oedd y ddau gyfaill o weld ei gilydd eto, meddai Lora.

Yna, ar ôl dod o'r capel, rydan ni i gyd yn cael mynd yn ôl i'r tŷ ac mae Dodo Citi a Nain wedi bod wrthi'n paratoi gwledd. Rhaid i mi gofio mynd â'r dorth gyrains i lawr efo fi – mae Mam wedi'i lapio'n barod a'i rhoi yn ei basged.

Rydw i wedi gwisgo'r ffrog ac mae pawb yn gwenu ac yn dweud 'mod i'n edrych yn bictiwr. Mae Maggie wedi tynnu'r cadachau o 'ngwallt ac mae'r cyrls yn rhaeadrau ar fy ysgwyddau.

"Aros." Mae Enid yn brasgamu i lawr y grisiau efo rhywbeth yn ei llaw. Y rhuban coch ydi o, ac mae Maggie yn ei glymu ar ochr fy mhen.

"Wyt ti'n siŵr nad ti sy'n rhedeg i ffwrdd i briodi?"

Mae Tada'n cellwair yn dawel. Dwi'n gwybod ei fod o'n

falch ohona i, ac mae o'n gwneud i mi droelli rownd fel topi-down ac mae'r sgert yn chwyrlïo.

Mae hyd yn oed Ifan yn gwenu ac yn dweud 'mod i'n edrych yn... iawn.

Cyn i mi gychwyn, mae Mam yn agor y Beibl i nôl rhywbeth. Darn o bapur ydi o, a dwi'n sylwi'n syth mai ysgrifen Ellis sydd ar y papur. Dwi'n edrych arno. Y gerdd sydd arno, y gerdd 'Gwenfron a Mi'.

"Hwda." Mae Mam yn ei rhoi mewn amlen ac yn ei hestyn i mi. "Rho hon i Lora," meddai hi, a dwi'n gwybod ei bod hi'n ceisio'i gorau i fod yn ddewr. "Dywed wrthi ein bod yn dymuno'r gora iddi hi a Hywel."

Dwi'n gwenu ar Mam ac mae hi'n mynd trwodd i'r parlwr eto i syllu ar y gadair – cadair Elsyn, y gadair ddu. Mi fydd y gadair yma tra byddwn ni yn yr Ysgwrn, dwi'n gwybod hynny. Mi fydd hi yma'n atgof o Hedd Wyn, y bardd. Mi fydd hi yma'n atgof o Ellis Humphrey Evans, ein Elsyn annwyl ni. Ond bydd hi yma hefyd yn atgof o bob mab, brawd, gŵr a chariad a gollwyd ym mrwydrau pobl eraill. Peth felly ydi bywyd, debyg iawn.

Mae'r haul cynnes yn argoeli ein bod am ha' bach Mihangel. Mae'r grug ar y llethrau'n borffor cynnes, a heddiw mae gen i briodas i fynd iddi. Wrth y glwyd, dwi'n sylwi ar ymyl ddisglair carreg wen sydd wedi dod i'r golwg o dan y pridd. Rydw i'n ei chodi'n ofalus, yn ei rhwbio yn y gwair i gael y pridd oddi arni ac yn ei rhoi yn fy mhoced rhag ofn, achos os na wna i ei chodi, ella... Ond yna, dwi'n gweld Mam yn edrych arna i drwy ffenest y parlwr bach. Mae hi'n gwenu ac yn ysgwyd ei phen. Dwi'n gollwng y garreg yn ei hôl i'r pridd, ac yn nodio ar Mam. Yna, rydw i'n cofio am y fodrwy garreg honno roddodd Lora ar ei bys wrth freuddwydio am briodi mab Lloyd George ers talwm. Rydw i'n gwenu; fydd Lora ddim angen carreg wen i ddod â lwc iddi heddiw.

£5.95

£5.95 yr un

£5.95 yr un

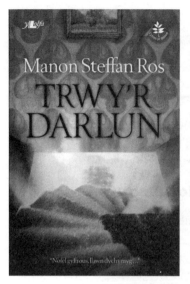

£5.95 yr un

Am restr gyflawn o nofelau cyfoes Y Lolfa,
mynnwch gopi o'n catalog rhad
neu hwyliwch i mewn i'n gwefan

www.ylolfa.com

lle gallwch archebu llyfrau ar lein

TALYBONT CEREDIGION CYMRU SY24 5HE
ebost ylolfa@ylolfa.com
gwefan www.ylolfa.com
ffôn 01970 832 304
ffacs 832 782